C000003601

FASHION ILLUSTRATION
Step by Step

Loreto Binvignat Streeter
Chidy Wayne

Publisher:
Paco Asensio

Editorial coordination:
Anja Llorella Oriol

Illustrations and texts:
Loreto Binvignat Streeter
Chidy Wayne

Introduction and text edition:
Macarena San Martín

Translation:
Equipo de Edición

Art director:
Emma Termes Parera

Graphic design and layout:
Maira Purman

Editorial Project:
2010 © maomao publications
Via Laietana, 32 4th fl. of. 104
08003 Barcelona, Spain
Tel. : +34 93 268 80 88
Fax : +34 93 317 42 08
www.maomaopublications.com

ISBN: 978-84-96805-33-0   Printed in China

maomao affirms that it possesses all the necessary rights for the publication of this material and has duly paid all royalties related to the authors' and photographers' rights. maomao also affirms that it has violated no property rights and has respected common law, all authors' rights and other rights that could be relevant. Finally, maomao affirms that this book contains no obscene nor slanderous material.

The total o partial reproduction of this book without the authorization of the publishers violates the two rights reserved; any use must be requested in advance.

If you would like to propose works to include in our upcoming books, please email us at maomao@loftpublications.com.

In some cases it has been impossible to locate copyright owners of the images published in this book. Please contact the publisher if you are the copyright owner of any of the images published here.

FASHION ILLUSTRATION
Step by Step

Loreto Binvignat Streeter
Chidy Wayne

KOLON

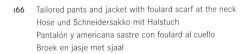

Introduction
Einführung
Introducción
Inleiding

Fashion illustrating is an artistic discipline which has recently experienced a boom, and it is becoming increasingly common to find it not only in exhibitions but also in magazines, advertisements and movies.

Although illustrations have existed since the beginning of fashion as we know it, it is in the last few years that it has taken on greater importance, becoming an activity not carried out exclusively by fashion designers to advertise their work, but also by artists who create illustrations for them.

The main objective of a fashion illustration is communication. Textures, colors, details, the spirit of a collection; there are many characteristics to be conveyed, and there are numerous techniques and styles to do this. Whether it is a watercolor in which the model has been roughly sketched, a realistic pencil drawing, an artistic composition created on a computer or something more practiced using felt-tipped pens, it is a good illustration as long as it fulfils its function to deliver a clear message to the recipient.

This book contains examples which demonstrate how the perception of a garment can change depending on how it is represented and the versatility employed. Each outfit is developed step by step using one technique and then four alternative styles are shown.

Loreto Binvignat Streeter and Chidy Wayne were given the task of preparing these exercises. They are both talented young fashion designers and illustrators, whose pictures are accompanied by interesting information and useful advice – practical help to achieve successful results when starting out in the fascinating world of fashion illustration.

Die Illustration ist eine künstlerische Disziplin, die seit einiger Zeit einen Aufschwung erlebt, immer öfter ist sie nicht nur auf Ausstellungen, sondern auch in Magazinen, Werbespots und Filmen zu finden. Im Modebereich verhält es sich nicht anders, und obwohl Modeillustrationen existieren, seitdem es die Mode als solche gibt, eine Rolle spielen, kommt ihnen in den letzten Jahren verstärkt Bedeutung zu, wodurch die Illustration zunehmend zu einer Tätigkeit wird, die nicht nur Modedesigner für die Darstellung ihrer Kreationen nutzen, sondern der sich auch Künstler widmen.

Der Hauptzweck der Illustration ist die Kommunikation. Texturen, Farben, Details, die Philosophie einer Kollektion mit all ihren spezifischen Merkmalen kann mit verschiedensten Techniken vermittelt werden. Ob es sich um eine Wasserfarbenzeichnung, mit der ihr eigenen synthetischen Darstellung der Figur, oder um eine realistische Repräsentation handelt, um eine digitale künstlerische Komposition oder eine praktisch orientierte Filzstiftzeichnung, die Qualität der Illustration wird daran gemessen, ob sie dem Empfänger eine klare Vorstellung übermittelt.

Auf den Seiten dieses Buches wird in Übungen gezeigt, auf welch unterschiedliche Weise ein Kleidungsstück je nach Darstellungsart wahrgenommen werden kann, und welche Mittel dafür zur Verfügung stehen. Jedes der Ensembles wird schrittweise mit einer bestimmten Technik erarbeitet, vier alternative Illustrationsmöglichkeiten werden aufgezeigt.

Die Übungen wurden von Loreto Binvignat Streeter und Chidy Wayne entwickelt, zwei jungen talentierten Modedesignern und -illustratoren. Sie erläutern ihre Beispiele mit interessanten Informationen und praktischen Tipps. Die Übungen sollen Anfängern einen erfolgreichen Einstieg in die faszinierende Welt der Modeillustration ermöglichen.

La ilustración es una disciplina artística que de un tiempo a esta parte ha experimentado un *boom*, siendo cada vez más habitual encontrarla no sólo en exhibiciones, sino que en revistas, anuncios o películas.

En el ámbito de la moda, ésta no se queda atrás, y aunque ha estado presente desde que la moda se conoce como tal, es en los últimos años cuando se le ha dado mayor importancia, convirtiéndose en una actividad que no desarrollan exclusivamente los diseñadores de moda para dar a conocer sus creaciones, sino que también son artistas los que se dedican a ella.

El principal objetivo de una ilustración de moda es comunicar. Texturas, colores, detalles, el espíritu de una colección: pueden ser varias las características que se quieren transmitir, y son muchas las técnicas y los estilos para hacerlo. Ya sea un dibujo en acuarela donde el figurín se ha sintetizado al máximo, una figura realista dibujada con lápiz, una composición artística hecha con el ordenador u otra más bien práctica en la que se han utilizado rotuladores, ésta será una buena ilustración mientras cumpla la función de entregar un mensaje claro al receptor.

Las páginas de este libro contienen ejercicios en los que se muestra cómo la percepción de una prenda puede cambiar según sea representada y la versatilidad con la que se puede jugar. Cada conjunto se desarrolla paso a paso con una técnica y luego se enseñan cuatro opciones más de realizarlo.

Los encargados de llevar a cabo estos ejercicios son Loreto Binvignat Streeter y Chidy Wayne, ambos jóvenes y talentosos diseñadores de moda e ilustradores, quienes acompañan sus ilustraciones con interesantes datos y útiles consejos. Una práctica ayuda para lograr resultados exitosos al momento de iniciarse en el apasionante mundo de la ilustración de moda.

Illustreren is een kunstdiscipline die een enorme vlucht heeft genomen. Getekende illustraties zijn steeds vaker te zien, niet alleen op exposities, maar ook in tijdschriften, advertenties en films.

De mode blijft hierbij niet achter. Hoewel de getekende illustratie altijd met mode verbonden is geweest, is ze de laatste jaren duidelijk belangrijker geworden. Illustreren is niet langer voorbehouden aan modeontwerpers die hun creaties ermee naar buiten brengen, ook andere beeldend kunstenaars houden zich ermee bezig.

Het hoofddoel van een mode-illustratie is communicatie. Je kunt er texturen, kleuren, details, de geest van een collectie mee laten zien. Je kunt met diverse technieken en stijlen allerlei eigenschappen overbrengen. Of het nu gaat om een gouachetekening van een uiterst gestileerde figuur of een met potlood getekende, realistische figuur, of het nu een met de computer of met viltstiften gemaakte compositietekening betreft – een illustratie is goed als hij een duidelijke boodschap overbrengt. Dit boek bevat oefeningen die laten zien hoe de waarneming van een kledingstuk verandert afhankelijk van de manier waarop het is weergegeven en van de speelsheid waarmee met beweging wordt omgegaan. Elke outfit wordt stap voor stap met een bepaalde techniek op papier gezet. Vervolgens worden vier alternatieven gegeven waarmee hij net zo goed getekend had kunnen worden.

Loreto Binvignat Streeter en Chidy Wayne, twee jonge, getalenteerde modeontwerpers en illustratoren, hebben de oefeningen ontwikkeld. Hun illustraties gaan gepaard met interessante feiten en adviezen. Oefenen helpt om goede resultaten te boeken wanneer je van plan bent je in de opwindende wereld van de mode-illustratie te begeven.

Illustrations for Women by Illustration Frauenmode: Ilustración femenina por Illustraties damesmode van
Loreto Binvignat Streeter

With a training which started in Santiago, Chile, continued in Altos de Chavón in the Dominican Republic, and finished in Barcelona, Spain, at twenty-six Loreto is a fashion designer and illustrator, activities which she combines to complement each other. As an illustrator she has taken part in four collective exhibitions – the most recent in Barcelona's Picasso Museum – and had the opportunity to display her work in the Colophon 2009 International Magazine Symposium in Luxemburg. She took her first steps in the world of publishing in 2008 with the book *Essential Fashion Illustration: Color and Medium*.

Loreto beginnt ihre berufliche Ausbildung in Santiago de Chile, führt sie in Altos de Chavon (Dominikanische Republik) fort und beendet sie in Barcelona. Mit 26 Jahren ist sie Modedesignerin und Illustratorin, beide Tätigkeiten übt sie derzeit aktiv aus. Als Illustratorin hat sie an vier Kollektivausstellungen mitgewirkt – die letzte fand im Picassomuseum in Barcelona statt – und hatte Gelegenheit ihre Arbeit in der zweiten Auflage des International Magazine Symposium Colophon 2009 in Luxemburg auszustellen. Ihren Einstieg als Buchautorin macht sie im Jahr 2008 mit ihrem Werk: *Essential fashion illustration: Color and medium*.

Con una formación que comienza en Santiago de Chile, continúa en Altos de Chavón (República Dominicana) y finaliza en Barcelona, Loreto es, a sus 26 años, diseñadora de moda e ilustradora, profesiones que actualmente combina y complementa. Como ilustradora, ha participado en cuatro exposiciones colectivas –la más reciente, en el Museo Picasso de Barcelona– y tuvo la posibilidad de exponer su trabajo en la segunda edición del International Magazine Symposium Colophon 2009, en Luxemburgo. Sus primeros pasos por el mundo editorial los dio el año 2008 con el libro *Color, imprescindible en la ilustración de moda*.

De 26-jarige Loreto begon haar opleiding in Santiago de Chile, vervolgde deze in Altos de Chavón (Dominicaanse Republiek) om haar in Barcelona te voltooien. Ze is modeontwerpster en illustratrice, twee beroepen die elkaar goed aanvullen. Als illustratrice heeft ze deelgenomen aan vier groepsexposities, de meest recente in het Picassomuseum in Barcelona. Ook kreeg ze de kans haar werk te tonen tijdens de tweede editie van het 'International Magazine Symposium Colophon 2009' in Luxemburg. Haar eerste stappen als publicist zette ze in 2008 met het boek *Essential Fashion Illustration: Color and Medium*.

Belted fur coat with skirt
Pelzmantel und taillenhoher Rock
Abrigo de piel con falda hasta la cintura
Lange jas van imitatiebont

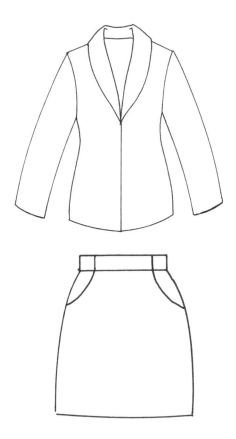

A sketch is made of the pose. It is important to define the central axis and the horizontals in order to create energy in the figure with the diagonals of the hips and shoulders.

Entscheidend bei der Grundskizze ist die Definition der zentralen Achse und der Horizontalen, um der Figur später mit den diagonalen Achsen der Hüften und Schultern Dynamik zu verleihen.

Se hace el boceto de la pose. Es importante definir el eje central y las horizontales para luego crear dinamismo en la figura con las diagonales de las caderas y los hombros.

Schets eerst de houding. Geef de middellijn en de horizontale lijnen goed aan, zodat je de figuur later dynamisch kunt maken met de diagonale lijnen van heupen en schouders.

The extra lines on the sketch
are cleaned up and a B pencil is
used to define all the details.
The outline of the coat is drawn
with an irregular line to create
the effect of fur.

Überschüssige Linien werden
gelöscht, Details mit einem B-
Bleistift ausgestaltet. Der Umriss
des Mantels wird mit einer
zittrigen Linie gezogen, um das
Fell wiederzugeben.

Se limpia el exceso de líneas del
boceto y con un lápiz B se define
el dibujo con todos sus detalles.
El contorno del abrigo se traza
con una línea irregular para
realzar el pelo.

Gum overbodige lijnen uit en
maak met een B-potlood de
tekening tot in detail af. Om de
harige stof weer te geven, teken
je de contouren van de jas met
een onregelmatige lijn.

Colored pencils, the sharp points of which make the drawing exact, are used to add the base color and the lighter tones of the coat, leaving blank spaces for the final highlights.

Mit Farbstiften, deren feine Spitze sich hervorragend für eine präzise Strichführung eignet, werden die Grundierung und die hellen Farbtöne des Mantels gemalt, für Glanzeffekte werden Stellen weiß gelassen.

Con lápices de color, cuya línea fina entrega exactitud al trazado, se añade el color base y los tonos más claros del abrigo, dejando espacios en blanco para los brillos finales.

Met fijne lijnen van kleurpotlood maak je het ontwerp nauwkeuriger en voeg je de basiskleur en de lichte tinten van de jas toe. Laat wat plekken wit om glans te suggereren.

The hairs are added, following
the direction of the fur,
with the medium tones of the
coat. The pencil strokes should
be light but the drawing must
be done quickly and with
confidence.

Nun werden die einzelnen
Fellhaare in den mitteldunklen
Farbtönen des Mantels
ausgemalt. Der Bleistift darf nur
leicht aufgedrückt werden, muss
aber sicher und schnell geführt
werden.

Siguiendo el gesto de pelo corto,
se van haciendo uno a uno los
pelos con los tonos medios del
abrigo. La presión en el lápiz ha
de ser leve pero el trazo, hecho
con seguridad y rapidez.

Volg de richting van de korte
haren als je de langere haren
met de middentinten van de jas
één voor één tekent. Druk licht
op het potlood en teken met
snelle, trefzekere lijnen.

After the dark tones are applied, black is used for the shadows, leaving blank spaces to create shine and volume. The details are finished and a dark pencil is used to go over the outline.

Nach den dunklen Farbtönen wird mit Schwarz schattiert, mit den weiß belassenen Stellen werden Glanz- und Volumeneffekte erzielt. Details werden vervollständigt, die Konturen schwarz nachgezogen.

Una vez añadidos los tonos oscuros, se usa el negro para las sombras, dejando espacios blancos que crearán brillo y volumen. Acabar los detalles y repasar contornos con un lápiz oscuro.

Nadat je de donkere tinten hebt aangebracht, gebruik je zwart voor de schaduwen. Laat plekken wit. Die zorgen voor glans en volume. Teken details en contouren met een donker potlood.

The same illustration can be created digitally. The second stage above has been scanned, then colored using the computer, adding a texture which makes the composition personal.

Dieselbe Illustration kann auch auf dem Computer realisiert werden. Die im zweiten Schritt gefertigte Zeichnung wurde eingescannt, digital bemalt und mit einer Textur individualisiert.

La misma ilustración se puede realizar digitalmente. Para ello se ha escaneado el segundo paso y coloreado con el ordenador, añadiendo una textura que personaliza la composición.

Je kunt de tekening ook digitaal maken. Van stap twee is een scan gemaakt die met de computer is ingekleurd. Er is textuur aan toegevoegd om de compositie persoonlijk te maken.

A modern trend in fashion illustration is to combine two styles in the same drawing. Here, for example, Indian ink has been used for the coat and pencil for the face and hair.

Die Kombination zwei verschiedener Stile ist ein Trend der zeitgenössischen Illustration. Hier wurde der Mantel mit chinesischer Tinte gezeichnet, Gesicht und Haare jedoch mit Bleistift.

Algo muy contemporáneo en la ilustración de moda es combinar dos estilos en un mismo dibujo. Aquí por ejemplo se ha trabajado el abrigo con tinta china y la cara y pelo con lápiz.

Iets nieuws in mode-illustratie is om in één tekeningen twee stijlen te combineren. In het voorbeeld is de jas met Chinese inkt getekend, en het gezicht en de stof met potlood.

This kind of illustration represents the essence of the material through strong, well-defined lines. In this case short, non-continuous strokes have been drawn to represent the fur.

Bei dieser Art von Illustration wird das Material mit markanten, klar definierten Linien charakterisiert. Hier wurde mit kurzen, unterbrochenen Strichen das Fell des Mantels angedeutet.

Este tipo de ilustración sintetiza la esencia del material mediante líneas fuertes y definidas. En este caso se han hecho trazos cortos y discontinuos para representar el pelo del abrigo.

Dit soort illustraties vat de essentie van het materiaal in krachtige, duidelijke lijnen samen. Er zijn korte, onderbroken lijnen gebruikt om de stof van de jas weer te geven.

The combination of child-like
– the concept of the coat as
a bear and the toy in the
hand – and adult – the kind of
illustration used – is the base
of this composition.

Das Spiel zwischen Kindlichkeit
– der Mantel als Bär und der
Plüschbär in der Hand – und
Erwachsenheit – der nicht
kindliche Illustrationsstil – bildet
die Grundlage dieser Figur.

El juego entre lo infantil –el
concepto del abrigo como un
oso y el peluche en la mano– y
lo adulto –el tipo de ilustración
que se ha utilizado– es la base
de esta composición.

Het spel tussen kinderlijkheid
(een jas als een beer en met
een knuffel in de hand) en
volwassenheid vormt de basis
van deze compositie.

High-waisted tailored pants and knitted sweater
Hoch taillierte Schneiderhose und Strickpullover
Pantalón sastre con cintura alta y jersey de punto
Broek met hoge taille en gebreid truitje

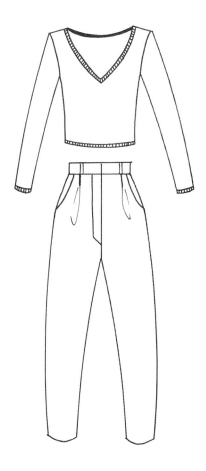

A sketch is made of the pose the figure will adopt, using a hard pencil, such as an H or F, as they are lighter and therefore easy to draw over.

Die Pose der Figur wird mit hartem Bleistift skizziert, z. B. mit einem H- oder einem F-Bleistift, weil diese Typen die hellsten sind und sich daher gut als Grundlage eignen.

Se hace un boceto de la pose en que estará el figurín con un lápiz duro, como puede ser un H o un F, ya que son los más claros y de esta manera resulta más fácil trabajar sobre él.

Schets met een hard potlood de houding van de figuur. Zo krijg je een lichte tekening die je gemakkelijk verder kunt uitwerken.

The excess lines are eliminated,
the main lines redefined and the
drawing is completed, with all its
details, using a B pencil, which is
darker than those used
previously.

Überschüssige Linien werden
entfernt, die Hauptlinien
nachgezogen, für die
Vervollständigung der Details
verwendet man einen B-Bleistift,
da er dunkler ist als die zuletzt
verwendeten.

Se elimina el exceso de líneas,
se remarcan las principales y se
completa el dibujo –con todos
sus detalles– con un lápiz B, que
es más oscuro que los utilizados
anteriormente.

Gum overbodige lijnen uit, zet
hoofdlijnen aan en maak de
tekening, met alle details, af
met een B-potlood. Die tekent
donkerder dan de eerder
gebruikte potloden.

Watercolors are ideal to paint large, unpatterned areas. First do the model's face, which is the lightest tone in the illustration, with semi-wash watercolor.

Aquarellfarben sind für das Ausmalen großer, glatter Flächen optimal geeignet. Zuerst wird der hellste Farbton der Illustration, die Haut des Mädchens, mit halbverdünnter Farbe gemalt.

Las acuarelas son ideales para colorear zonas grandes y lisas. Lo primero que se pinta es la piel de la chica, cuyo tono es el más claro de la ilustración, con acuarela semiaguada.

Aquarelverf is ideaal voor het inkleuren van grote, effen vlakken. Eerst kleur je met halfverdunde verf de huid van het model in, de lichtste kleur van de illustratie.

Next the medium tones are added – the grey of the sweater and pants – and the black for the hair, which is part of the same range. The watercolor has to be applied quickly and evenly.

Die mitteldunklen Farbtöne, das Grau des Pullovers und der Hose, werden aufgetragen, und das zur selben Farbpalette gehörende Schwarz der Haare. Die Farbauftrag erfolgt zügig und gleichmäßig.

A continuación se añaden los tonos medios –el gris del jersey y pantalón– y el negro en el pelo, que es parte de la misma gama. La acuarela ha de aplicarse rápida y homogéneamente.

Breng dan de middentinten aan: het grijs van het truitje en de broek, en het zwart van het haar, dat tot hetzelfde kleurengamma behoort. Breng de verf snel en gelijkmatig aan.

Darker tones are used for the shadows and to create perspective, then the details are colored. Finally, a soft pencil – at least a 2B – is used to go over the lines.

Mit den dunkleren Farbtönen werden Schattierungen und Tiefeneffekte erzielt, und die Details ausgemalt. Für das Nachziehen der Linien mindestens einen 2B-Bleisstift verwenden.

Con tonos más oscuros se marcan las sombras y relieves, y posteriormente se colorean los detalles. Para finalizar, se realzan las líneas con un lápiz blando, como mínimo un 2B.

Met donkerder tinten geef je schaduw en reliëf aan. Later kleur je de details in. Voor de afwerking zet je de lijnen aan met een zacht potlood: 2B of zachter.

A classical style which is becoming popular again is the extremely realistic pencil drawing. A touch of color has been added to the lips and belt, giving the drawing more life.

Die klassische hyperrealistische Bleistiftzeichnung kommt wieder verstärkt zum Einsatz: Neu an ihr sind der Hauch von Farbe auf den Lippen und am Gürtel, der sie lebendiger macht.

Un estilo bastante clásico que vuelve a utilizarse: el dibujo hiperrealista a lápiz. Como novedad, se incorpora el toque de color en los labios y cinturón, dándole un poco más de vida.

Een klassieker die nu weer meer ingang vindt, is de realistische potloodtekening. Nieuw is om ter wille van de levendigheid een beetje kleur toe te voegen, hier in lippen en riem.

This illustration has been done
digitally; it has been colored with
flat tones, and a background like
an old notebook has been
added, giving the illustration a
'vintage' feel.

Die Farben dieser digitalisierten
Illustration wirken flach, die
einem alten Notenheft
gleichende Hintergrundtextur
erinnert an *vintage*.

Digitalizando este ejercicio, se
ha coloreado con tonos planos y
añadido un fondo similar a una
antigua libreta de notas, que
entrega una atmósfera *vintage* a
la ilustración.

De digitale versie is ingekleurd
met effen tinten en een
achtergrond die aan een
ruitjesschrift doet denken,
waardoor de illustratie een
beetje *vintage* wordt.

A watercolor sketch, where all the clothes have been treated as one piece, defining the cuts and volumes with different tones of grey. The pink background enhances the illustration.

Die Kleidungsstücke dieser mit Wasserfarben ausgeführten Grobskizze wurden aus einer einzelnen Form herausgearbeitet, Schnittstellen und Volumen mit verschiedenen Grautönen angedeutet.

Síntesis realizada en acuarela, donde se trabaja toda la vestimenta como una sola pieza, insinuando sus cortes y volumen con distintos tonos de gris. El fondo rosa realza la ilustración.

Het kledingstuk is eerst globaal als één geheel uitgewerkt. Snit en volume worden gesuggereerd door verschillende grijstinten. De achtergrond haalt de illustratie naar voren.

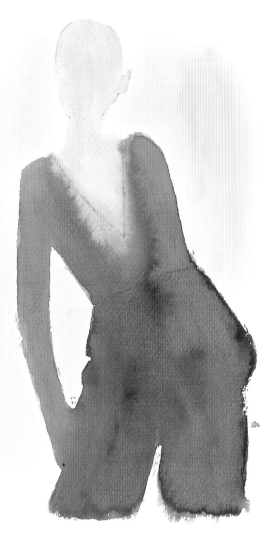

What defines this kind of illustration is the use of different thicknesses of lines which, in the absence of colored areas, indicate the shadows and the volume, enhancing the drawing.

Entscheidend sind hier die unterschiedlich dicken Linien, mit denen Schattierungen und Tiefeneffekte erzielt werden, die normalerweise mit Farbe gestaltet werden.

Lo que define a este tipo de ilustración es el uso de diferentes grosores de líneas que, a falta de zonas coloreadas, indican las sombras y el volumen, enriqueciendo el dibujo.

Kenmerkend is het gebruik van lijnen van verschillende dikte, die bij het ontbreken van gekleurde delen schaduw en volume kunnen aangeven en de tekening verrijken.

Double dress with semi-transparent top layer
Doppelschichtiges Kleid mit halbdurchsichtigem Oberstoff
Vestido doble con capa superior semitransparente
Jurkje met doorzichtige overjurk

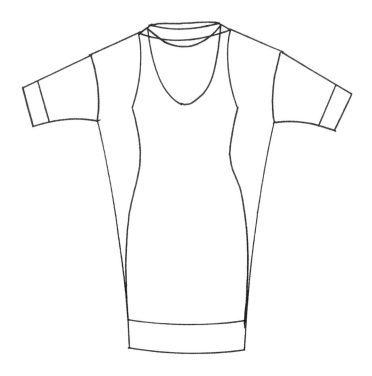

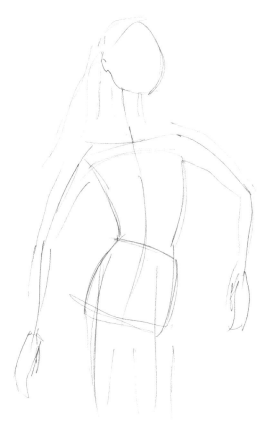

The first step is to sketch the whole silhouette of the model to provide a frame on which to work. In this case the figure is determined by the position of the arms.

Im ersten Schritt wird die Silhouette der Figur vollständig skizziert, sie dient als Grundlage für die weiteren Schritte. Bezeichnend für diese Figur ist ihre Armhaltung.

El primer paso es esbozar completamente la silueta del figurín para posteriormente poder trabajar sobre ella. En este caso, la figura está determinada por la posición de los brazos.

Schets eerst het volledige silhouet van de figuur, zodat je die later kunt uitwerken. Kenmerkend voor deze figuur is de positie van de armen.

In drawing the definitive lines,
care should be taken to
differentiate between the lines
of the first layer of the dress
and those of the second, to
distinguish between the two
garments.

Beim Nachziehen der
endgültigen Linien muss die
erste Stoffschicht des Kleides
von der zweiten differenziert
werden, um die beiden
Kleiderteile optisch
unterscheidbar zu machen.

Al repasar las líneas definitivas,
se presta especial cuidado en
diferenciar aquellas que
pertenecen a la primera capa
del vestido de las de la segunda,
para distinguir ambas prendas.

Wanneer je de definitieve lijnen
aanzet, maak je verschil tussen
de lijnen van de onderjurk en
de transparante overjurk, zodat
ze duidelijk onderscheiden
worden.

Colored pencils are used, which
make it easier to create
transparencies. First the skin is
colored, and then the tones of
the transparent material can be
created on top.

Mit Farbstiften kann die
Transparenz optimal dargestellt
werden: Zuerst wird die Haut
koloriert, darüber wird dann der
Farbton des transparenten
Stoffes aufgetragen.

Se usan lápices de color, que
permiten trabajar con mayor
facilidad las transparencias. Se
colorea primero la piel, sobre la
que luego se trabajará con el
tono del tejido transparente.

Met kleurpotlood kun je goed de
doorzichtige delen suggereren.
Kleur eerst de huid in. Later zul
je daarop de tint van de
doorzichtige stof aanbrengen.

Next to be colored is the base
dress, incorporating the volume,
the shadows which mark the
folds in the material, and leaving
white areas to create shine.

Der eng anliegende Teil des
Kleides wir als nächstes
ausgemalt, Schatten an den
Falten und Tiefeneffekte werden
herausgearbeitet, für
Glanzeffekte werden einige
Stellen hell belassen.

Lo segundo que se colorea es el
vestido base, incorporando
desde un principio el volumen,
las sombras que marcan los
pliegues de la tela y dejando
zonas más blancas para los
brillos.

Vervolgens kleur je het onderste
kledingstuk in. Zorg ervoor
dat je zowel het volume als
de schaduw van de plooien
aangeeft en ook plekken wit
laat om glans te suggereren.

A lighter pencil is used for the semi-transparent layer. It is applied very gently, even on the skin and the dress, pressing harder in the areas which represent creases.

Der Bleistift für die halbdurchsichtige Schicht ist um einen Ton heller als der im letzten Schritt verwendete, auch im Gesichts- und Kleidbereich nur leicht aufdrücken, etwas fester an den Faltenstellen.

Para la capa semitransparente, se usa un lápiz de un tono más claro que el vestido. Se aplica muy suavemente, incluso sobre la piel y el vestido, cargando más en las zonas de arrugas.

Voor de doorzichtige overjurk gebruik je een lichter kleurpotlood. Breng de kleur heel lichtjes aan, ook op de huid en onderjurk, en zet iets meer aan bij plooien en rimpels.

Digitally, it is possible to play with the texture of the background while keeping the colors on the model flat, and to see how the transparency behaves against the background.

Bei der digitalen Bearbeitung kann eine Hintergrundtextur eingesetzt werden, die Farben der Figur bleiben untexturiert und flach. Der Hintergrund erscheint durch den transparenten Stoff dunkler.

Digitalmente, se puede jugar con la textura en el fondo mientras se mantienen los colores del figurín planos. Se aprecia también como se comporta la transparencia con el fondo.

Met de computer kun je met de achtergrondtextuur spelen terwijl je de kleuren van de figuur egaal houdt. Zo zie je ook hoe de doorzichtige delen met de achtergrond mee veranderen.

Using just pencil, the body and the dress are made darker, while on the transparent material tones of grey are added only to the folds, highlighting the quality of the fine material.

Wird ausschließlich mit Bleistift gearbeitet, werden Körper und Kleid dunkler gestaltet und für die Falten am transparenten Teil nur Grautöne verwendet, um den feinen Stoff zu betonen.

Trabajando sólo con lápiz, se oscurece más el cuerpo y el vestido, mientras que en la transparencia sólo se aplican tonos grises en los pliegues, que resaltan su calidad de tejido fino.

Als je alleen met potlood werkt, maak je het lichaam en de onderjurk donkerder, terwijl je in de overjurk alleen in de plooien grijstinten aanbrengt. Zo suggereer je de fijne stof.

More artistic versions of the same figure can be created: by not taking into account perfect proportions, a contemporary illustration is achieved, which is more conceptual than precise.

Dieselbe Figur kann auch kunstbetont dargestellt werden. Durch den Verzicht auf perfekte Proportionen erzielt man eine zeitgenössische Darstellung – nicht die präzise Form sondern die Vermittlung des Konzepts steht dabei im Mittelpunkt.

Se pueden realizar versiones más artísticas de la misma figura; dejando de lado las proporciones perfectas, se llega a una ilustración contemporánea, no tan precisa sino más conceptual.

Je kunt ook wat artistiekere versies van de figuur maken, waarbij de verhoudingen niet hoeven te kloppen. Zo krijg je een illustratie die eerder conceptueel dan nauwkeurig is.

When using watercolors it is possible to apply several smooth layers with different intensities of wash. The effect will create a simpler representation of the transparency.

Wenn mit Wasserfarben gearbeitet wird, können mehrere gleichmäßige, unterschiedlich verdünnte Schichten aufgetragen werden, um so die Transparenz zu illustrieren.

Al utilizar acuarelas, se pueden aplicar varias capas homogéneas con diferentes intensidades en la aguada, cuyo juego visual crea una representación más sintética de la transparencia.

Als je aquarelverf gebruikt, kun je diverse homogene lagen aanbrengen die met meer of minder water verdund zijn. Zo geef je het doorzichtige deel globaler weer.

Checked shirt with leggings
Kariertes Hemd mit Leggings
Camisa a cuadros con mallas
Ruitjesblouse met legging

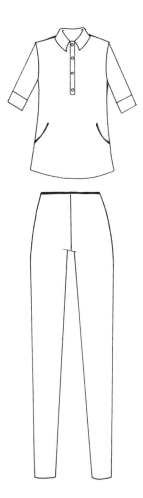

An upright position has been chosen here; the lines of the shoulders and hips are straight, so the garments can be seen clearly from the front, without too many folds in the materials.

Zur Illustrierung dieses Ensembles wurde eine aufrechte, frontale Körperhaltung gewählt, die Schulter- und Hüftenlinie liegt waagerecht, sodass die Kleidungsstücke kaum Falten werfen.

Para este conjunto se ha optado por una postura erguida, con las líneas de los hombros y las caderas rectas de manera que las prendas se aprecien frontalmente y sin demasiados pliegues.

Voor deze combinatie is een rechte houding gekozen. Door de rechte lijnen van schouders en heupen zie je de kleding van voren en vormen zich niet al te veel plooien.

When drawing the lines of the
check shirt, it is fundamental to
ensure they follow the shape
and perspective of the body as
well as the fall of the material,
and that they are not straight.

Beim karierten Hemdmuster ist
darauf zu achten, die Linien
nicht gerade zu zeichnen,
sondern sie realitätsgetreu an
den Körper und dessen Pose
anzupassen.

Al dibujar las líneas de la camisa
a cuadros, es fundamental
preocuparse de que éstas sigan
tanto el volumen y perspectiva
del cuerpo como la caída del
tejido, no han de ser rectas.

Zorg er bij het tekenen van de
ruitjesblouse voor dat de lijnen
zowel volume en perspectief van
het lichaam volgen als de manier
waarop de stof valt. Ze mogen
niet recht zijn.

Watercolors have been chosen, which allow the primary lines to be painted smoothly. The first colors to be added are those of the skin, and the red for the check.

Mit Wasserfarben können die Hauptlinien gleichmäßig gestaltet werden. Zuerst werden die Hautfarbe und das Rot der Quadrate aufgetragen.

Se opta por utilizar la técnica de la acuarela, que permite pintar homogéneamente las líneas primarias. Los primeros colores que se aplican son el de la piel y el rojo de los cuadros.

Met aquarelverf kun je de belangrijkste lijnen egaal inkleuren. Als eerste breng je de huidskleur en het rood van de ruitjes aan.

Next the medium colors are added: grey for the leggings and blue for the horizontal lines. When painting it is important to follow the same direction as the drawn lines.

Dann werden die mittleren Farbtöne gemalt: Grau für die Leggings und Blau für die Querstreifen. Die Farben müssen in derselben Richtung wie die vorgezeichneten Linien aufgetragen werden.

Luego se añaden los colores medios: gris para las mallas y azul para las rayas horizontales. Al pintar, es importante hacerlo siguiendo la dirección de las líneas plasmadas.

Daarna voeg je de andere kleuren toe: grijs voor de legging, blauw voor de horizontale strepen. Houd bij het verven de richting van de gevormde lijnen aan.

Finally, the hair, sneakers and face are colored. A soft pencil – the darkest – is used to go over the lines and to draw in details such as buttons and pleats.

Zuletzt werden Haare, Sportschuhe und Gesicht koloriert. Mit einem weichen Bleistift – dem dunkelsten von allen – werden die Linien nachgezogen und Details wie Knöpfe und Falten ausgestaltet.

Por último, se colorean el pelo, las bambas y el rostro. Con un lápiz blando –que es el más oscuro– se repasan las líneas y dibujan detalles como botones y marcas de pliegues.

Tot slot kleur je haar en gympen in en werk je het gezicht uit. Met een zacht potlood – dat donkerder is – zet je de lijnen aan en teken je details zoals knopen en plooien.

Following the young, informal style of the illustration, the digitally-added background is like a page from a squared school notebook, a concept which reinforces these characteristics.

Das digital eingefügte Hintergrundbild, eine Seite aus einem Schulheft, entspricht dem jugendlichen und informellen Stil der Illustration und verstärkt ihren Charakter.

Siguiendo la línea juvenil e informal de la ilustración, digitalmente se ha añadido como fondo una página de un cuaderno escolar, cuyo concepto refuerza dichas características.

In overeenstemming met de informele frisheid van de illustratie kun je er met de computer een achtergrond van ruitjespapier aan toevoegen, die de uitstraling nog versterkt.

The style of the illustration captures the essence of the image, which in this case is particularly easy given the check pattern. Thick, irregular lines are used to create energy.

Hier soll die Essenz der Illustration mit geringem Aufwand ausgedrückt werden, das karierte Muster erleichtert diese Aufgabe. Die unterschiedlich dicken Linien verleihen Dynamik.

Este estilo de ilustración sintetiza la esencia de la imagen, lo que en este caso resulta muy fácil gracias a los cuadros. Se utilizan líneas de grosor irregular para dar dinamismo.

Deze stijl van illustreren geeft de essentie van het beeld weer. Dat is hier dankzij de ruitjes heel gemakkelijk. Om dynamiek te creëren gebruik je lijnen van verschillende dikte.

Loose strokes in watercolor represent the figure. The colors have been applied flat and the white areas are as important as the colored ones in defining the silhouette.

Mit locker hingeworfenen Strichen wird die Figur mit Wasserfarben illustriert. Die Farben wirken flach, die weiß belassenen Stellen sind für die Definition der Silhouette ebenso wichtig wie die ausgemalten.

Con trazos sueltos de acuarela se representa la figura. Los colores se aplican planos y los espacios en blanco toman tanta importancia como los llenos en la definición de la silueta.

Met losse verfstreken geef je de figuur weer. Breng de kleuren egaal aan. De wit gehouden plekken zijn even belangrijk als de ingevulde bij het vormgeven van het silhouet.

Drawn entirely in pencil, the
red of the shirt has been
incorporated in the illustration
in the highlights in the hair and in
the leggings and sneakers,
creating chromatic unity.

Bei dieser Farbstiftillustration
wird Rot für das Hemd, den
Farbreflex des Kopfhaars, die
Leggings und die Sportschuhe
verwendet, wodurch sie farblich
einheitlich erscheint.

Dibujada completamente en
lápiz, se incorpora en la
ilustración el rojo de la camisa
tanto en el reflejo del pelo como
en las mallas y bambas, para
unificarla cromáticamente.

Als je enkel met potlood tekent,
gebruik je de kleur rood zowel in
de blouse als in het haar, de
legging en de gympen, zodat je
een chromatische eenheid krijgt.

Bias-cut floral dress
Schräg geschnittenes Kleid mit Blumenmuster
Vestido cortado al bies con flores
Schuin gesneden jurk met bloemen

The figure has been drawn in a playful, childlike pose, with the arms in the air and the central axis curved, which is fitting for the style of the dress represented.

Im Stil des Kleides wurde auch die Figur in einer spielerischen, etwas kindlichen Position dargestellt, ihre Hände sind locker hinter dem Kopf verschränkt, die Hauptachse ist gebogen.

Acorde con el estilo del vestido que se representa, se ha decidido dibujar el figurín en una pose juguetona e infantil, con los brazos en el aire y cuyo eje central está curvado.

In stijl met de jurk heeft de figuur een speelse, kinderlijke uitstraling gekregen. De armen zijn geheven en de lijn van de rug is gebogen.

A soft B pencil has been used
for the principal lines and the
details of the face and hair.
The flowers have been drawn
with an H pencil, which makes it
easier to color them in later.

Mit einem B-Bleistift werden
die Hauptlinien nachgefahren
und Details im Gesicht- und
Halsbereich ausgearbeitet,
die Blumen hingegen mit einem
H-Bleistift, um das spätere
Ausmalen zu erleichtern.

Con un lápiz B se repasan las
principales líneas y se dibujan
detalles en el rostro y cabello.
Las flores en cambio se dibujan
con un lápiz H, que luego
permitirá colorearlas mejor.

Met een B-potlood zet je de
hoofdlijnen aan en teken je
de details in het gezicht en het
haar. Voor de bloemen gebruik
je een H-potlood. Zo kun je ze
later beter inkleuren.

As the flowers are small and detailed, colored pencils have been used. First the base is drawn, in orange, without too much care being taken to color the whole area.

Da die Blumen klein und detailreich gestaltet sind, arbeitet man mit Farbstiften. Zuerst wird als Grundfarbe Orange gemalt, wobei es nicht nötig ist, die Fläche völlig abzudecken.

Como las flores son pequeñas y con detalles, se utilizan lápices de color. Se comienza por pintar la base, naranja, sin ser extremadamente cuidadoso en colorear toda la superficie.

De bloemen zijn klein en hebben verschillende details; gebruik daar kleurpotloden voor. Eerst kleur je het oranje basisvlak van de bloemen. Je hoeft dat niet heel precies te doen.

Next the centers of the flowers are colored, with strong, irregular strokes. It is important to create the effect of the bias in the pattern: in the folds the flowers appear cut.

Die Mitte der Blumen wird mit unregelmäßigen, festen Strichen ausgemalt. Die Blumen erscheinen bei den Falten abgeschnitten, weil sie schräg auf dem Kleid sitzen.

Luego se colorea el centro de las flores, con trazos fuertes e irregulares. Es importante cuidar el efecto del bies en el estampado: en los pliegues las flores se verán cortadas.

Daarna kleur je het hart van de bloemen met krachtige, onregelmatige streken in. Zorg dat je de plooien in de bedrukking volgt. Daar valt steeds een deel van de bloem weg.

The leaves are added, then the same orange pencil is used to go over the outlines of the flowers. The rest of the figure is colored and the lines re-drawn with a 2B pencil.

Zuletzt werden die Blätter und die restliche Figur gemalt, mit demselben orangenfarbenen Stift werden die Konturen der Blumen nachgefahren. Die Linien mit einem 2B-Bleistift nachziehen.

Como último paso se añaden las hojas y con el mismo lápiz naranja se remarcan los contornos de las flores. Se colorea el resto del figurín y se repasan las líneas con un lápiz 2B.

Ten slotte voeg je de blaadjes toe. Met het eerdere oranje potlood zet je de contouren van de bloemen aan. Kleur de rest van de figuur en zet de lijnen aan met een 2B-potlood.

One way to show the texture of the dress is to add it digitally as a background. This also creates the effect that it has been painted on canvas.

Die Stoffart des Kleides kann durch einen entsprechend texturierten Hintergrund, der digital hinzugefügt wird, angedeutet werden, er wirkt wie eine Malerleinwand.

Una manera de insinuar la textura que podría tener el vestido, es agregarla digitalmente como fondo. Este efecto también produce la sensación de que se hubiera pintado en un lienzo.

Met de computer kun je de textuur van de jurk suggereren, door deze digitaal als achtergrond toe te voegen. Hierdoor is het net alsof er op doek geschilderd is.

The style of the lineal sketch was common in illustrations in the 1960s and 1970s, which makes it perfect with this kind of floral dress.

Diese Art synthetischer Linienzeichnung ist typisch für Illustrationen aus den 60er und 70er Jahren, daher ist sie perfekt für dieses geblümte Kleid geeignet.

El estilo de síntesis lineal fue bastante común en las ilustraciones de los años sesenta y setenta, por lo que da el juego perfectamente con este tipo de vestido con flores.

Deze stijl van tekenen, met enkel lijnen, werd tussen 1960 en 1980 veel toegepast in mode-illustraties. Hij past heel goed bij deze bloemenjurk.

This method of sketching
highlights the pattern of the
dress. The rest of the figure has
been painted with a neutral, flat
color, while the background
helps to define the white dress.

Der Schwerpunkt liegt auf
dem Blumendruck des Kleides.
Für die restliche Figur wurde
eine neutrale, flache Farbe
eingesetzt, durch den Hintergrund
wird der Umriss des weißen
Kleides definiert.

Esta de manera de sintetizar
enfatiza el estampado del
vestido. El resto de la figura se
ha pintado de un color neutro y
plano, mientras el fondo ayuda a
delimitar el vestido blanco.

Op deze tekening komt de
bedrukking extra naar voren.
Voor de figuur is slechts één
neutrale kleur gebruikt. Door de
eenvoudige achtergrond komt
de jurk goed uit.

This illustration has a personal look; the girl's curtsey and the flowers on the floor are childlike elements which contrast with a more grown-up style.

Der sehr persönlich gestaltete Gesichtsausdruck dieser Illustration bildet einen Gegensatz zu den kindlichen Attributen der Figur, die einen Knicks macht und von Blumen umgeben ist.

Esta ilustración cuenta con una mirada más personal, en la que la reverencia de la chica y las flores en el suelo, como elementos infantiles, se contraponen con un estilo más adulto.

Deze illustratie is duidelijk persoonlijker. De reverence die het meisje maakt en de bloemen op de grond zijn kinderlijk, maar krijgen tegenwicht van de meer volwassen stijl.

Dress with belt at the hip and gathered centre
In der Mitte drapiertes Kleid mit Hüftgürtel
Vestido con cinturón a la cadera, drapeado en el centro
Gedrapeerde jurk met riem op de heupen

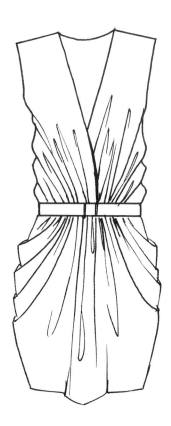

A dress like this, with a gathered part that creates a lot of pleats in the material, looks better if represented by a moving pose, as here, where the figure is walking.

Ein in der Mitte drapiertes Kleid wie dieses wirft viele Falten und wird daher besser in einer dynamischen Haltung gezeigt, so wie bei dieser Figur, die zum Schritt ausholt.

Un vestido como éste, con un drapeado que produce muchas arrugas en la tela, queda mejor representado con una pose en movimiento, como aquí, donde el figurín está caminando.

Een gedrapeerde jurk als deze, met heel veel plooien in de stof, komt het beste tot uit met een figuur die in beweging is. Hier loopt de figuur.

When going over the definitive
lines, it is important to
remember that the material is
quite rigid; an effective way to
represent it is by emphasizing
its straight lines.

Beim Nachziehen der
endgültigen Linien muss
bedacht werden, dass es sich
um einen relativ harten Stoff
handelt, der am besten mit
geradlinigen Strichen dargestellt
wird.

Al repasar las líneas definitivas
es importante tener en cuenta
que se trata de un tejido
bastante rígido; una manera
efectiva de representarlo es
trazando sus líneas rectas.

Bedenk bij het aanzetten van de
definitieve lijnen dat de stof
behoorlijk stug is. Dit kun je het
beste suggereren met rechte
lijnen.

Pencils have been used here, as they enable greater precision to create volume in small spaces. First the color of the skin is applied, leaving white areas which create light.

Farbstifte ermöglichen präzisere Tiefeneffekte auf kleinen Flächen. Zuerst wird die Hautfarbe gemalt, mit den weiß belassenen Stellen wird der natürliche Lichteinfall nachgeahmt.

Se ha optado por colorear con lápices, ya que permiten crear volúmenes en áreas pequeñas con mayor precisión. Se aplica primero el color piel, dejando zonas blancas que darán luz.

Hier is voor kleurpotloden gekozen, omdat daarmee nauwkeuriger volume kan worden gecreëerd op kleine vlakjes. Breng eerst de huidskleur aan. Laat de plekken waar licht op valt wit.

The dress is drawn by starting
with the base color, pressing the
pencil very gently. In this way
the lighter tones are created,
with little spaces being left
white.

Für die Grundfarbe des Kleides
wird der Stift nur leicht
aufgedrückt. So werden hellere
Farbtöne erzielt, manche Stellen
werden weiß gelassen.

Se empieza a pintar el vestido
de su color base, ejerciendo
muy poca presión en el lápiz. De
esta manera se darán los tonos
más claros, dejando incluso
pequeños espacios blancos.

Breng de basiskleur van de jurk
aan. Oefen bijna geen druk op
het potlood uit. Zo krijg je
lichtere tinten, en hier en daar
zelfs stukjes wit.

The same pencil is used again to color the dress, this time pressing hard in the dark areas of the pleats to create depth.

Mit demselben, im vorigen Schritt verwendeten Stift wird das Kleid erneut ausgemalt, an den dunkleren Stellen der Falten wird jetzt fest aufgedrückt, um die Tiefe zu betonen.

Con el mismo lápiz utilizado en el paso anterior se vuelve a pintar el vestido, pero esta vez presionando fuerte en los puntos oscuros de los pliegues, marcando la profundidad.

Met hetzelfde potlood kleur je de jurk opnieuw, maar nu oefen je veel druk uit op de donkere plekken die door de plooien worden veroorzaakt, zodat je daar diepte krijgt.

This garment is ideal to for representing with a sketch, as with a quick movement of the felt-tip the direction and concentration of the folds is achieved.

Dieses Kleidungsstück kann optimal mit einer Linienzeichnung dargestellt werden, mit einer schnellen Bewegung des Faserstifts können Faltenwurf und -verlauf gut angedeutet werden.

Esta es una prenda adecuada para representar sintetizando las líneas, ya que, con un movimiento rápido del rotulador, se consigue muy bien la dirección y concentración de pliegues.

Dit kledingstuk is heel geschikt om globaal met lijnen te worden weergegeven. In een snelle viltstifttekening kun je goed de richting en de dikte van de plooien aangeven.

Using a pencil the figure can be represented quite realistically, with a pleasing result that demonstrates the fall of the folds and the behavior of the fabric.

Mit Bleistift kann die Figur sehr realitätsgetreu dargestellt werden, der Faltenwurf und das Stoffverhalten sind ausgesprochen gut erkennbar.

Utilizando el lápiz se puede representar de manera realista el figurín con un resultado bastante satisfactorio, ya que muestra la caída de los pliegues y el comportamiento de la tela.

Met een potlood kun je de figuur realistisch weergeven. Het resultaat is zeker toereikend, want er is goed te zien hoe de plooien vallen en de stof zich gedraagt.

The volume and hang of the garment are represented, but what is attractive here is the personal vision which does not adhere to the rules of beauty of a typical fashion illustration.

Hier ist der Faltenwurf des Kleidungsstück und sein Sitz am Körper noch erkennbar, doch ist die persönliche Note der Figur, die von gängigen Schönheitsidealen absieht, entscheidend.

Aunque siguen estando los volúmenes y drapeados de la prenda, aquí el atractivo es la visión más personal, que deja de lado los cánones embellecedores de la típica ilustración de moda.

Volume en plooien zijn hier nog steeds aanwezig, maar het aantrekkelijke is nu de persoonlijker visie. Elke vorm van verfraaiing, typerend voor mode-illustraties, is weggelaten.

Digital technology can be used to color the areas in a flat way, creating volume with the outlines and the lines of the folds, their width, quantity and the way they are drawn.

Digital ausgemalte Flächen wirken flach, der Tiefeneffekt wird durch die differenzierte Liniengestaltung erzielt; Dicke, Anzahl und Qualität der Konturen und Falten variieren.

Con la técnica digital se pueden colorear de manera plana las superficies, regulando el volumen con las líneas de los contornos y pliegues, su grosor, cantidad y tipo de trazo.

Met de computer kun je de vlakken egaal inkleuren. Het volume bepaal je aan de hand van de dikte, de hoeveelheid en het aanzien van de contourlijnen en plooien.

Tiered skirt and vest
Volantrock und ärmellose Jacke
Falda con volantes y chaleco
Strokenrok met gilet

A light pencil is used to make a sketch of the figure in the chosen position, with the outline of the garments, including the three tiers of the skirt.

Die Figur wird mit einem hellen Bleistift in der gewählten Körperhaltung, inklusive der Konturen der Kleidungsstücke skizziert, auch die drei Volantlagen werden eingezeichnet.

Se hace el boceto de la figura con un lápiz claro, en el que se trazan el figurín en la postura elegida y los contornos de las prendas, así como las tres capas de volantes.

Schets de figuur met een licht potlood. Je tekent de gekozen houding van de figuur en de contouren van het kledingstuk, met inbegrip van de drie lagen stroken.

The extra lines are eliminated and the whole figure is drawn in detail using a B pencil. It is important to fully capture the irregular hemline of the tiers and their folds.

Überschüssige Linien werden entfernt und mit einem B-Bleistift Details der Figur gestaltet. Der ungleichmäßige Saum der verschiedenen Lagen muss realitätsgetreu dargestellt werden.

Se elimina el exceso de líneas y se dibuja la figura completa, con todos los detalles, con un lápiz B. Es importante plasmar bien el bajo irregular de los volantes y sus pliegues.

Gum overbodige lijnen uit en teken de figuur volledig, met alle details, met een B-potlood. Besteed veel aandacht aan de vorm van de plooien van de stroken, die onregelmatig zijn.

Watercolors have been chosen
here, as they enable large areas
to be colored evenly and various
shades of the same color can be
produced, creating shadows and
volumes

Wasserfarben erleichtern das
gleichmäßige Ausmalen größerer
Flächen und bieten mehrere
Tonalitäten derselben Farbe,
wodurch optimale Schatten- und
Tiefeneffekte erzielt werden
können.

La acuarela ha sido el medio
elegido en este caso, ya que
permite colorear grandes zonas
homogéneamente y obtener
varios tonos de un mismo color,
enriqueciendo sombras y
volúmenes.

Met aquarelverf kun je grote
vlakken egaal inkleuren en
bovendien met eenzelfde kleur
verschillende tinten maken. Zo
creëer je schaduw en volume.

The skirt and vest are painted the same color, although the vest is given two coats. The color is applied quite diluted, as this will create the lightest, brightest color.

Der Rock und das ärmellose Oberteil werden in derselben Farbe, das Oberteil jedoch mit zwei Schichten koloriert. Die Farbe wird für den hellsten und lichtintensivsten Ton der gesamten Komposition sehr verdünnt.

Se pinta la falda y el chaleco del mismo color, aunque al chaleco se le dan dos capas. El color se aplica bien aguado, ya que éste será el tono más claro y luminoso que haya.

Geef rok en gilet dezelfde kleur, maar breng op het gilet twee lagen verf aan. Verdun de verf goed, zodat je een lichte, stralende kleur krijgt.

The different volumes are created by varying the number of coats applied in the base color. The darkest areas are the interior of the tiers, the shadow of the vest and its details.

Der Tiefeneffekt ist von der Anzahl der Schichten der Grundierung abhängig. Zu den dunkelsten Stellen gehören das Innere der Volantlagen, die Schattierungen des ärmellosen Oberteils und dessen Details.

Aplicando más o menos capas del color base, se obtienen los distintos volúmenes. Las zonas más oscuras son el interior de los volantes, la sombra del chaleco y sus detalles.

Door meer of minder lagen van een kleur aan te brengen, creëer je de verschillende volumes. Donkere delen zijn de binnenkant van de stroken, en de schaduw en details van het gilet.

In this illustration – which, in keeping with the dark "look", is a little gloomy – the realistic style, drawn in pencil, has been combined with a much freer style in Indian ink.

Diese entsprechend des dargestellten *looks* etwas düstere Illustration, vereint den realistischen Stil der mit Bleistift und die freie Darstellungsart der mit Tusche realisierten Teile.

En esta ilustración, que acorde con el *look* oscuro es un poco tétrica, se ha combinado el estilo realista –dibujado a lápiz– con uno mucho más libre, hecho en tinta china.

In deze illustratie, die in stijl met een 'duistere look' wat naargeestig is, zijn een realistische stijl (met potlood) en een veel vrijere stijl (met Chinese inkt) gecombineerd.

As the tiers are the most eye-catching element of the outfit, they can easily be sketched with a few lines; the important thing is to capture the silhouette and the volume correctly.

Die Volants, das auffälligste Detail dieses Ensembles, lassen sich leicht mit wenigen Linien darstellen, wichtig ist, den Tiefeneffekt und die Silhouette der Figur gut zum Ausdruck zu bringen.

Como los volantes son el elemento más llamativo de este conjunto, se puede sintetizar fácilmente con pocas líneas; lo importante es plasmar apropiadamente la silueta y el volumen.

De stroken trekken de meeste aandacht van het ensemble en je kunt ze met een paar lijnen globaal weergeven. Het gaat er vooral om dat je het silhouet en het volume juist vormgeeft.

The pencil drawing was scanned
and colored digitally with flat
colors. To prevent it being quite
so rigid, a texture of old paper
was added to the figure and the
background.

Die Bleistiftzeichnung wird
eingescannt und digital mit
flachen Farben ausgemalt. Um
ihr etwas von der Steifheit zu
nehmen, wird als Hintergrund
ein alt wirkendes Papier
hinzugefügt.

El dibujo en lápiz se escanea y
colorea digitalmente con colores
planos. Para quitar un poco la
rigidez, se agrega una textura
de papel, antiguo tanto a la
figura como al fondo.

Scan de potloodtekening en
kleur hem met de computer in.
Om de tekening minder stijf te
maken, geef je zowel de figuur
als de achtergrond een textuur
van oud, vergeeld papier.

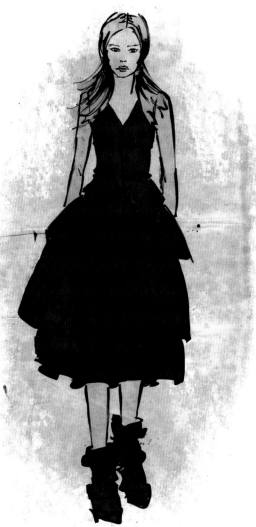

The darkness of the outfit has been associated with death, so the girl has been drawn with skulls but in a childlike pose to make the image less dramatic.

Der Totenkopf in der Hand des Mädchens verstärkt die Assoziierung mit dem Tod des generell düster wirkenden Ensembles, die kindliche Pose des Mädchens entschärft dessen Dramatik.

Se ha asociado la oscuridad del conjunto con la muerte, por lo que se ha dibujado a la chica con calaveras, aunque en una postura más infantil para restarle dramatismo a la escena.

De donkere kleur wordt hier met de dood geassocieerd. Het meisje heeft doodshoofden om zich heen, maar door haar kinderlijkheid is de tekening niet te dramatisch geworden.

Knitted dress
Strickkleid
Vestido de tejido de punto
Gebreide jurk

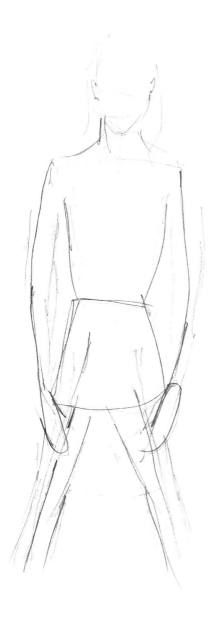

The dress shown falls straight and does not have great volume, so a full frontal pose has been chosen, in which the arms rest on the legs.

Der Stoff des dargestellten Kleides fällt gerade, und wölbt sich am Körper kaum, daher wird die Figur vorderseitig dargestellt, ihre Hände ruhen auf den Oberschenkeln.

El vestido que se representará tiene una caída recta y no presenta mayores volúmenes, por lo que se ha optado por una postura totalmente frontal, con los brazos sobre las piernas.

Deze jurk valt recht, zonder plooien. Daarom is gekozen voor een frontale pose waarbij de armen op de benen vallen.

Zigzag lines have been used in
some areas to suggest the
pattern of the knit, but it is not
necessary to cover the whole
surface in this way. The rib is
represented by vertical lines.

Um den Strickstoff darzustellen,
werden an manchen Stellen
Zickzacklinien eingezeichnet.
Die Rillen am Saum,
Ärmelausgang und Halsbereich
werden mit vertikalen Linien
illustriert.

Para insinuar el punto, se hacen
líneas en zigzag en algunas
zonas del vestido, no es
necesario hacerlo en toda su
superficie. El acanalado se
representa con líneas verticales.

Om het breiwerk te suggereren
teken je hier en daar
zigzaglijntjes in de jurk. Dat
hoeft niet overal. De geribde
zoom geef je weer met verticale
lijnen.

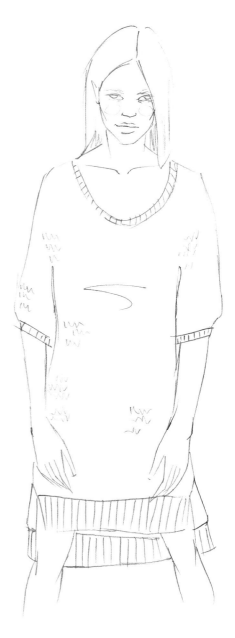

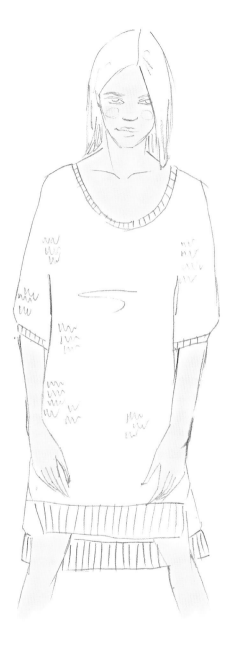

As the dress covers quite a large area, watercolors have been used, with the finishing touch provided by colored pencil. The first color applied is the lightest: the skin.

Für die relativ große Oberfläche des Kleides wurden Wasserfarben gewählt, die Feindetails werden mit Farbstift ausgestaltet. Der hellste Farbton, die Hautfarbe, wird zuerst aufgetragen.

Como el vestido ocupa un área bastante amplia, se ha optado por usar acuarela y, como toque final, se usará lápiz de color. El primer color que se aplica es el más claro: el de la piel.

Omdat de jurk een groot oppervlak beslaat, is voor aquarelverf gekozen. Voor de afwerking is een kleurpotlood gebruikt. Eerst wordt de lichtste kleur aangebracht: die van de huid.

The dress is colored evenly in pale blue. For the hair a tone of blue – which will be the color of the highlights – is applied, and the areas are left white to represent shine.

Das Kleid wird gleichmäßig mit himmelblauer Farbe ausgemalt. Der blaue Farbton des Haars wird auch für die Farbreflexe verwendet. Die Glanzstellen bleiben weiß.

Se colorea uniformemente el vestido de color celeste. En el pelo se aplica un tono azul –que será el color de los reflejos– y se dejan las zonas de más brillo en blanco.

Kleur de jurk in met hemelsblauw. Gebruik voor het haar een blauwe tint. Dit wordt later de glans van het haar. Laat de plekken waar het meeste licht op valt wit.

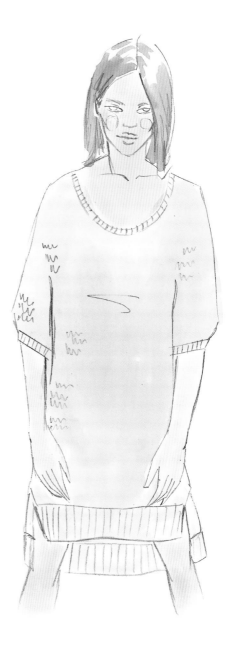

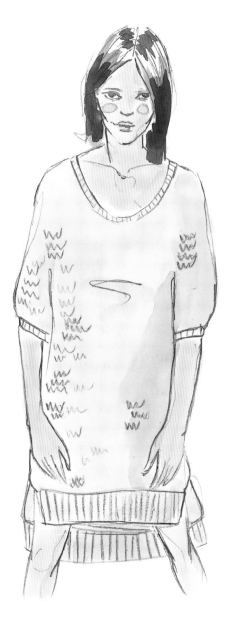

The shadows and details of the dress are added. The texture of the knit is created by going over the lines with a pencil which is the same shade as the watercolor.

Schattierungen und Details werden ausgearbeitet. Das Strickmaterial wird noch besser charakterisiert, indem man die Zickzacklinien und die vertikalen Linien der Saumrillen mit einem Stift im Farbton der Wasserfarbe nachzieht.

Se añaden las sombras del vestido y detalles. La textura del punto se realza al repasar las líneas con un lápiz de color del mismo tono que la acuarela, lo mismo que el acanalado.

Voeg de schaduwen en de details toe. De gebreide textuur benadruk je door de lijnen met een kleurpotlood in de kleur van de verf aan te zetten. Doe hetzelfde voor de ribzoom.

This naïve style illustration is in watercolor, with pencil used for the outlines and details. It plays with the outward appearance of the dress, with the figure in an impossible position.

Bei dieser Illustration in naivem Stil wurden Wasserfarben und Bleistift für die Konturen und die Details verwendet. Das Bild spielt mit der Materialität des Kleides und stellt die Figur in einer unmöglichen Situation dar.

Esta ilustración, de estilo naif, está hecha con acuarela y lápiz para contornos y detalles. Juega con la materialidad del vestido, situando al personaje en una situación imposible.

Deze illustratie in naïeve stijl is met aquarelverf gemaakt. Voor contouren en details is potlood gebruikt. Er is speels omgegaan met de eigenschappen van breiwerk.

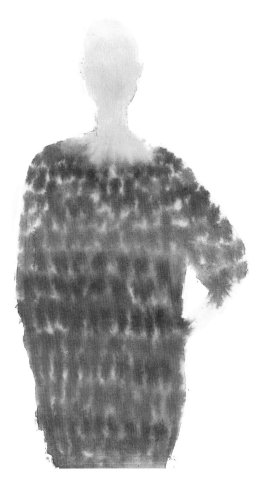

This style of illustrating works well to represent textures using watercolors. In this case, the knit has been suggested by combining different shades of blue.

Die geschlossene, synthetische Darstellung eignet sich für die Charakterisierung von Texturen mit Wasserfarben. Hier wird der Strickstoff durch verschiedene, kombinierte Blautöne angedeutet.

La síntesis de forma cerrada es un estilo que se da bien para representar texturas jugando con la acuarela. En este caso, el punto se ha insinuado combinando distintos tonos de azul.

De gesloten, globale vorm kan goed met aquarel worden weergegeven. Hier wordt het breiwerk speels gesuggereerd door verschillende blauwtinten te gebruiken.

Mixing the lineal sketch – in the dress – with realism, gives the illustration a contemporary style which enables two or more styles to be combined in the same composition.

Aus der Kombination aus Linienzeichnung, wie bei diesem Kleid, und realitätsgetreuer Darstellung entsteht ein zeitgenössischer Stil, der zwei oder mehrere Techniken kombiniert einsetzt.

Mezclando la síntesis lineal –en el vestido– y el realismo, se obtiene una ilustración de estilo contemporáneo, el que permite combinar dos o más estilos en la misma composición.

Door de globale lineaire weergave van de jurk te combineren met realisme is een moderne illustratie ontstaan, waarin twee of meer illustratiestijlen zijn gecombineerd.

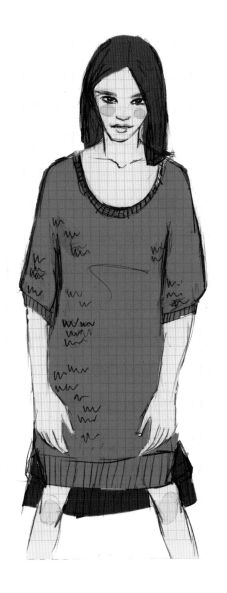

In this case, an unfinished sketch has been digitalized, so the outline is made up of several lines and appears thicker than it is.

Hier wurde die teilweise unfertige Skizze eingescannt, daher sind die Konturen dicker als im Normalfall und bestehen aus mehreren Linien.

En este caso se ha digitalizado un boceto que no estaba del todo acabado, por ello, los contornos están realizados con varias líneas y se perciben más gruesos de lo que son.

Hier is een niet volledig uitgewerkte schets gedigitaliseerd. De contouren hebben daarom meerdere lijnen en lijken dikker dan ze in werkelijkheid zijn.

Leather bustier and tailored skirt
Lederbustier und Schneiderrock
Bustier de cuero y falda sastre
Leren bustier met kokerrok

A sketch is made of the figure, which defines the pose and how this affects the lines of the body. A hard pencil is used, which is easy to erase later.

In der Grobskizze wird die Pose und ihr Einfluss auf die Körperlinien festgelegt. Man verwendet einen harten Bleistift, da dieser später leicht zu löschen ist.

Se hace un boceto de la figura, en el que se define la postura y cómo afecta ésta a las líneas del cuerpo. Se utiliza un lápiz duro para después poder borrarlo fácilmente.

Maak een schets van de figuur waarin je de houding vastlegt en de invloed daarvan op de lijnen van het lichaam. Gebruik een hard potlood, dat later makkelijk is uit te gummen.

The definitive figure is drawn
with a softer pencil. The bustier
is leather and the skirt is made
from material with body, so the
lines are quite straight and there
are almost no creases.

Die endgültige Figur wird mit
einem weichen Bleistift
gezeichnet. Das Bustier ist aus
Leder, der Rock aus einem
festeren Stoff, daher sind die
Linien sehr gerade, der
Faltenwurf ist gering.

Se dibuja la figura definitiva con
un lápiz más blando. El bustier
es de cuero y la falda, de un
tejido con cuerpo, por lo que las
líneas son bastantes rectas y
casi no hay arrugas.

De definitieve figuur teken je
met een zachter potlood. De
bustier is van leer en de rok valt
vrij recht, waardoor je bijna geen
rimpels hoeft te tekenen.

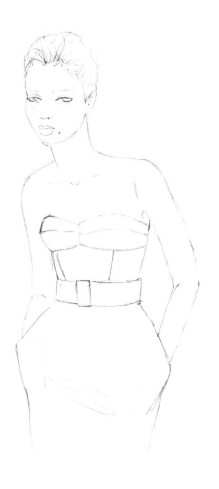

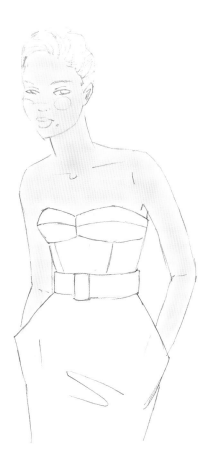

Watercolor is one of the best methods to represent leather, as it makes it easy to show the shine. The skin color is applied first, the lightest shade in the picture.

Für die Illustrierung von Leder sind Wasserfarben hervorragend geeignet, mit ihrer Hilfe kann der Glanz von Leder gut illustriert werden. Zuerst wird die Hautfarbe, die hellste der Zeichnung, aufgetragen.

Para representar el cuero, la acuarela es una de las mejores técnicas, ya que permite imitar muy bien su brillo. Se comienza por aplicar el color piel, tono más claro del dibujo.

Voor de weergave van leer is aquarelverf erg geschikt, omdat je daarmee heel goed glans kunt suggereren. Breng eerst de huidskleur aan, de lichtste kleur in het geheel.

When coloring the top and the belt, care must be taken to paint only the central areas, without reaching the edges, so leaving white spaces to give the effect of maximum shine.

Bei der Bemalung des Tops und des Gürtels ist darauf zu achten, die Ränder nicht zu berühren und nur die innen liegenden Bereiche zu bedecken, für Glanzeffekte müssen Stellen weiß gelassen werden.

Al colorear el top y el cinturón, se ha de hacer con cuidado para pintar sólo las zonas interiores —sin llegar hasta los bordes— y dejar espacios en blanco para los brillos máximos.

Let er bij het inkleuren van de top en de riem op dat je goed binnen de lijnen blijft en dat je de plekjes waar het meeste licht op valt, wit laat.

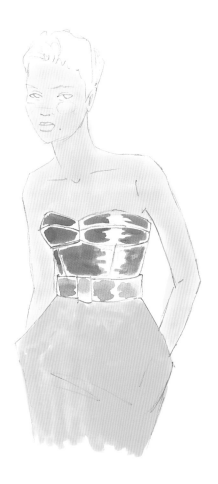

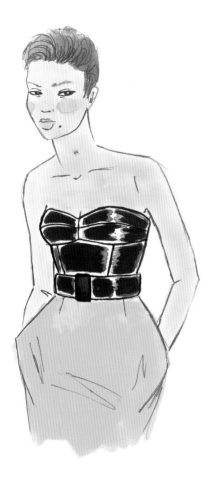

The darkest shade of black is added, slightly reducing the white spaces and creating a gradation with the layer of grey. Finally, a 2B pencil is used to go over the lines.

Beim Auftragen des dunkelsten Schwarztons werden die weißen Stellen reduziert, der äußerste Rand der graue Schicht bildet eine Abstufung. Mit einem 2B-Bleistift werden die Linien nachgezogen.

Se aplica el tono más oscuro de negro, reduciendo un poco los espacios blancos, y creando un degradado con la capa de gris. Como último paso, se repasan las líneas con un lápiz 2B.

Gebruik hier minder verdund zwart en laat minder wit. Breng nuance aan met een laag grijs. Tot slot zet je de lijnen aan met een 2B-potlood.

This digital composition plays with the textures and not with the gradations. The shine of the leather has been created with smooth grey, and the volume is created by the texture.

Bei dieser digitalen Version wurde auf farbliche Abstufungen verzichtet und mit unterschiedlichen Texturen experimentiert. Die Glanzstellen sind grau, die Tiefe entsteht durch die Textur.

En esta composición digital se ha optado por jugar con las texturas y no con los degradados. Los brillos del cuero se han coloreado de gris, plano, y el volumen nace de la textura.

Op deze computertekening is met textuur gespeeld, niet met nuances. De glans van het leer is egaalgrijs gemaakt. Het volume wordt verkregen door de textuur.

In sketching the image, only the principal lines are drawn. The bustier is colored with quick strokes and the spaces which are left white represent the shine of the leather.

Bei dieser synthetischen Darstellung werden nur die Hauptlinien gezeichnet. Das Bustier wird mit einem zügigen Pinselstrich bemalt, der weiße Teil repräsentiert den Glanz des Leders.

Al sintetizar la imagen, sólo se dibujan las líneas principales. En el caso del bustier, se colorea con un trazo rápido y el espacio que quede en blanco representará el brillo del cuero.

Voor een gestileerde figuur teken je alleen de hoofdlijnen. De bustier kleur je met een snelle streek in. Het wit suggereert de glans van het leer.

This kind of sketch, in watercolor, is for figures which are defined simply by color or shape, without the need for details. For this reason the pose has been changed here.

Diese mit Wasserfarben realisierte Grobskizze eignet sich für Modelle, die man bei Verzicht auf Details ausschließlich durch Farbe oder Form definieren kann, daher wurde hier auch die Pose verändert.

Este tipo de síntesis, con acuarela, es ideal para figuras que pueden ser difinidas simplemente con el color o la forma, sin necesidad de detalles; por eso aquí se ha cambiado la postura.

Globale weergaven als deze zijn geschikt voor figuren die met louter kleur en vorm te typeren zijn, waardoor details onnodig zijn. Wel is daarom voor een andere pose gekozen.

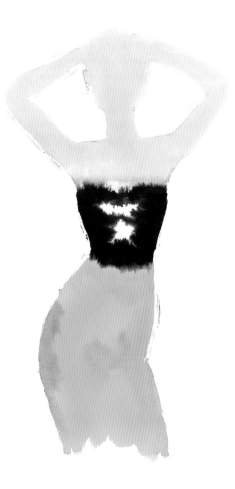

Even when creating a fashion illustration, it can be done with a personal and artistic view, in which the proportions are not followed too closely.

Auch einer Modeillustration kann eine persönliche, künstlerische Note verliehen werden, wobei die Proportionen etwas ungenauer sein können und die Gestik an Bedeutung gewinnt.

Aun cuando sea una ilustración de moda, ésta puede ser hecha con una mirada más personal y artística, en la que las proporciones no son respetadas del todo y tiende a ser más gestual.

Al gaat het om een mode-illustratie, toch kun je een persoonlijker, meer kunstzinnige toets aanbrengen waarbij de verhoudingen niet precies hoeven te kloppen.

Jeans and knitted t-shirt
Jeanshose mit Strickshirt
Pantalón vaquero con camiseta de punto
Spijkerbroek met tricot hemdje

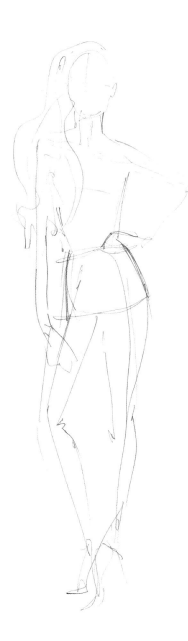

The figure's pose is defined by the straight left leg – which raises the hip – and the hand on the hip, gestures which also affect the rest of the body.

Entscheidend für diese Pose sind das angespannte linke Bein – wodurch die Hüfte nach oben rückt – und die auf die Hüfte gestützte Hand: Beide Gesten beeinflussen die Haltung des gesamten Körpers.

La postura del figurín está definida por la tensión en la pierna izquierda, que hace subir la cadera, y la mano apoyada en la cintura, gestos que también afectarán al resto del cuerpo.

De houding van de figuur wordt bepaald door de spanning in het linkerbeen, waardoor de linkerheup en de hand die op de riem rust omhoogkomen.

The denim is quite rigid, so creases are only drawn for the folds. All the lines of stitching have been marked, as they are a characteristic of jeans.

Bei diesem relativ steifen Jeansstoff werden nur an den gebeugten Stellen Falten gezeichnet. Auch alle Nähte werden bei dieser Art von Hose mit Linien wiedergegeben.

El tejido de los vaqueros es bastante rígido, por eso sólo se dibujan arrugas en los pliegues. También se marcan todas las líneas de costura, características de estos pantalones.

De spijkerstof is behoorlijk stug, zodat je alleen rimpels tekent waar plooien zijn. Je tekent ook de gestikte lijnen die zo kenmerkend voor spijkerbroeken zijn.

Colored pencils are the best for creating the texture of the jeans. First the lightest tone is applied, in irregular, diagonal strokes.

Für die Charakterisierung des Jeansstoffs verwendet man am besten Farbstifte. Zuerst wird der hellste Ton mit unregelmäßigen, diagonal verlaufenden Strichen aufgetragen.

Para crear la textura de los vaqueros, lo mejor es utilizar lápices de color. Se comienza por aplicar el tono más claro, con trazos irregulares hechos en sentido diagonal.

Om de textuur van de spijkerstof te suggereren kun je het beste kleurpotloden gebruiken. Breng eerst de lichtste kleur met onregelmatige, diagonale streken aan.

The base tone of the boots and hair is applied, and then the texture of the pants is created using a slightly darker pencil to add a series of parallel diagonal lines.

Die Grundfarbe der Stiefel und des Haars werden gemalt und mit einem etwas dunkleren Bleistift wird mit parallel verlaufenden, diagonalen Linien die Textur der Hose illustriert.

Se colorea el tono base de las botas y el pelo, y se continúa creando la textura del pantalón: con un lápiz un poco más oscuro se hacen una serie de líneas diagonales paralelas.

Kleur de basistint van laarzen en haar in, en ga verder met de textuur van de broek. Met een iets donkerder potlood teken je een aantal diagonale, evenwijdige lijnen.

Finally the darker tones are applied to create shadows, highlights and volume, and the details are drawn in. Dark tones are created by pressing hard with the pencil.

Zuletzt werden die dunkleren Farbtöne der Schattierungen, Farbreflexe und Tiefeneffekte aufgetragen und die Details ausgemalt. Für dunkle Farbtöne werden die Stifte stärker aufgedrückt.

Por último, se aplican los tonos más oscuros para crear las sombras, reflejos y el volumen, y se pintan los detalles. Los lápices se presionan con fuerza para obtener tonos oscuros.

Tot slot breng je de donkerste tinten aan om licht en schaduw en volume te creëren en teken je de details. Oefen veel druk uit op de potloden zodat de tinten donker worden.

The image has been digitalized and colored, and then the lines of a page from a notebook have been superimposed, creating the effect that the illustration was drawn on it.

Das Bild wurde digitalisiert, bemalt und mit Linien durchzogen, die an ein Schulheft erinnern, sodass der Eindruck entsteht, die Illustrierung wäre auf einem solchen gezeichnet worden.

Se ha digitalizado la imagen, coloreado y finalmente se le han sobrepuesto las líneas de un cuaderno de notas, simulando que la ilustración hubiera sido hecha en éste.

De afbeelding is gedigitaliseerd, ingekleurd en tot slot op een achtergrond van een lijntjesschrift gezet, alsof de tekening daarin is gemaakt.

The pencil is a tool which enables precision and so can be used to create very realistic illustrations. In this case, color has been added to give the pants greater importance.

Der Bleistift ermöglicht ein sehr präzises Zeichnen und ist daher für realistische Illustrationen hervorragend geeignet. Hier wurde zur Betonung der Hose auch Farbe eingesetzt.

El lápiz es una herramienta que, por su precisión, permite hacer ilustraciones muy realistas. En este caso, se incorpora además color para dar más protagonismo a los pantalones.

Vanwege de precisie die je met een potlood kunt bereiken, is potlood zeer geschikt voor realistische illustraties. Hier is kleur toegevoegd om de broek naar voren te halen.

To sketch this image, the pose
has been exaggerated, giving it
better definition. Thick, irregular
lines have been used for the
outline, with thin ones for the
texture of the jeans.

Durch die übertrieben dargestellte
Pose dieser synthetischen
Illustration wird die Figur klarer
definiert. Die Konturen bestehen
aus ungleichmäßigen dicken
Linien, die dünnen Striche
charakterisieren den Hosenstoff.

Para sintetizar la imagen, se
ha exagerado la postura, que
permite definirla mejor. Se usan
líneas gruesas irregulares para
los contornos y delgadas para la
textura de los vaqueros.

Voor een gestileerde figuur
overdrijf je de houding, zodat hij
goed duidelijk is. Gebruik voor de
contouren dikke, onregelmatige
lijnen en voor de textuur van de
broek dunne.

This naïve composition includes a zebra, an element which is more fitting than a horse. In the absence of texture in the pants, the stitching has been drawn in to identify them as jeans.

Dieser naiven Komposition wurde ein Zebra hinzugefügt, dem im Vergleich zum Pferd größere Unschuldigkeit anhaftet. Die Art der Hose wird durch den Nahtverlauf erkennbar.

Esta composición naif añade una cebra, elemento más inocente que los caballos. En ausencia de textura en los pantalones, se dibujan las costuras para identificarlos como vaqueros.

Aan deze tekening is een zebra toegevoegd, die onschuldiger is dan een gewoon paard. De broek heeft geen textuur gekregen, maar is herkenbaar als spijkerbroek door de stiksels.

Wide, bell-shaped coat
Weiter glockenförmiger Mantel
Abrigo ancho con forma campana
Wijde jas

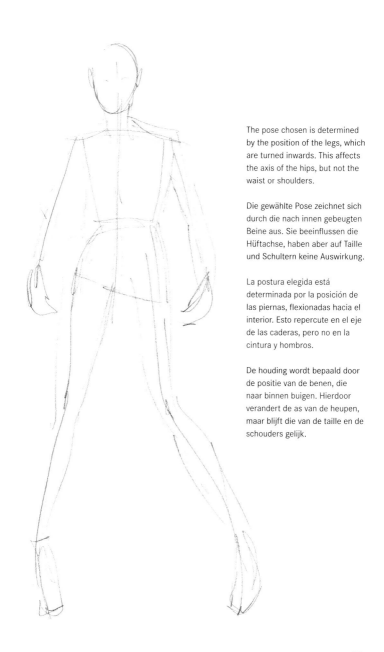

The pose chosen is determined by the position of the legs, which are turned inwards. This affects the axis of the hips, but not the waist or shoulders.

Die gewählte Pose zeichnet sich durch die nach innen gebeugten Beine aus. Sie beeinflussen die Hüftachse, haben aber auf Taille und Schultern keine Auswirkung.

La postura elegida está determinada por la posición de las piernas, flexionadas hacia el interior. Esto repercute en el eje de las caderas, pero no en la cintura y hombros.

De houding wordt bepaald door de positie van de benen, die naar binnen buigen. Hierdoor verandert de as van de heupen, maar blijft die van de taille en de schouders gelijk.

The lines of the drawing are
defined with a B pencil. The coat
is drawn with curved, loose lines
but with no creases, except on
the sleeves, where they are
produced by the buttons.

Die Linien der Zeichnung werden
mit einem B-Bleistift gezogen.
Der Mantel wird mit gekurvten,
lockeren Linien und bis
auf die durch den Knopf
hervorgerufenen Ärmelfalten
faltenlos dargestellt.

Se definen las líneas del dibujo
con un lápiz B. El abrigo se hace
con líneas curvas y sueltas pero
sin arrugas, a excepción de las
mangas, donde éstas se
producen por el botón.

De lijnen teken je met een
B-potlood. De jas teken je met
geronde, losse lijnen zonder
rimpels. Alleen in de mouwen
teken je onder de knoop wel
rimpels.

The illustration is colored with watercolors and later a pencil will be used to show the coat is made from a material with a heavy texture. The first step is to apply the skin color.

Die Illustration wird mit Wasserfarbe ausgemalt, die dichte Textur des Mantels wird mit Bleistift charakterisiert. Zu allererst wird die Hautfarbe aufgetragen.

La ilustración se coloreará con acuarela y luego se utilizará un lápiz para representar que el abrigo está hecho de una tela de textura densa. Se comienza, eso sí, por aplicar el color piel.

Je kleurt de illustratie met aquarelverf in en gebruikt vervolgens een potlood om de dikke stof van de jas weer te geven. Breng wel eerst de huidskleur aan.

In coloring the coat, it is important to try and use quick, sure strokes so that the surface is covered evenly, without brush or water marks.

Beim Bemalen des Mantels müssen die Pinselstriche zügig ausgeführt werden, um eine gleichmäßige Oberfläche, ohne Wasserflecken oder Pinselabdrücke zu erzielen.

Al colorear el abrigo hay que procurar hacerlo con pinceladas seguras y rápidas, para que la superficie quede pintada homogéneamente, sin marcas del pincel ni de agua.

Het inkleuren van de jas doe je met snelle, zekere streken. Zo kleur je het vlak egaal in, zonder sporen van penseelstreek of water.

The final color is black. Pressing lightly on a soft pencil, horizontal lines are drawn to give the coat texture, and the creases, outline and details are drawn in later.

Die schwarze Farbe wird zuletzt aufgetragen. Der weiche Bleistift wird bei den horizontalen Streifen, die den Mantelstoff charakterisieren, leicht aufgedrückt; Falten, Konturen und Details werden ausgearbeitet.

El último color es el negro. Presionando levemente un lápiz blando, se hacen rayas horizontales para dar textura al abrigo y luego se marcan las arrugas, contornos y detalles.

Tot slot breng je zwart aan. Teken met een zacht potlood de horizontale lijnen om de textuur van de jas aan te geven. Daarna teken je plooien, contouren en details.

In a realistic drawing, the texture of the coat is not seen on the whole surface but only in some places, depending on the light they receive – the lightest areas will be white.

Bei einer realistischen Zeichnung ist die Textur des Mantels nicht großflächig, sondern an bestimmten, vom Lichteinfall abhängigen Stellen erkennbar, jene mit stärkstem Lichteinfall bleiben weiß.

En un dibujo realista, la textura del abrigo no se ve en toda su superficie, sino sólo en algunos trozos, dependiendo de la luz que reciben. Las zonas más luminosas estarán en blanco.

Op een realistische tekening is de textuur van de jas slechts hier en daar te zien, al naargelang de hoeveelheid licht die erop valt. De lichtste delen blijven wit.

By drawing the outlines, and lines to represent the seams, it is possible to define the garment. The outline does not have to be continuous, as visually the figure is complete.

Für die Definition des Kleidungsstückes ist es ausreichend, Konturen und Schnittstellen zu skizzieren. Die Konturen müssen nicht geschlossen sein, das Auge vervollständigt die Figur automatisch.

Dibujando las líneas de contornos y de los cortes, ya es posible definir la prenda. No es necesario que los contornos sean cerrados, ya que visualmente se completa la figura.

Met slechts de contouren en de lijnen van de snit geef je het kledingstuk al vorm. De contouren hoeven niet gesloten te zijn – de kijker vult deze zelf aan.

In this illustration the garment has been put into context, with the addition of winter elements such as the umbrella, the boots and the rain, which give the composition body.

Hier wollte man das Kleidungsstück mit Kontext darstellen, deshalb wurden winterliche Elemente wie ein Regenschirm, Stiefel und Regen hinzugefügt, die Illustration erlangt so Kompositionscharakter.

En esta ilustración se ha querido contextualizar la prenda, por lo que se agregan elementos invernales como el paraguas, las botas y la lluvia, tomando más cuerpo de composición.

Op deze tekening is de figuur in een herfstachtige context geplaatst door een paraplu, laarzen en regen toe te voegen. De compositie wordt hierdoor krachtiger.

This is a less rigid way to show the garment. The rules for illustrating fashion have not been strictly followed, putting more emphasis on the picture and the technique itself.

Diese weniger strenge Darstellungsalternative für ein Kleidungsstück weicht von geltenden Standards ab, dafür wird der Illustration selbst und ihrer Technik mehr Bedeutung geschenkt.

Esta es una manera menos rígida de mostrar la prenda, sin seguir estrictamente los cánones de la ilustración de moda; se pone mayor énfasis en la ilustración y técnica en sí.

Hier is het kledingstuk wat losser weergegeven. De regels voor de mode-illustratie zijn niet streng gevolgd, maar de illustratie en de techniek op zich zijn meer benadrukt.

Leopard-print short-legged jumpsuit with bolero jacket
Leopardenoverall mit Bolerojacke
Mono de leopardo con chaqueta bolero
Speelpakje met bolerojasje

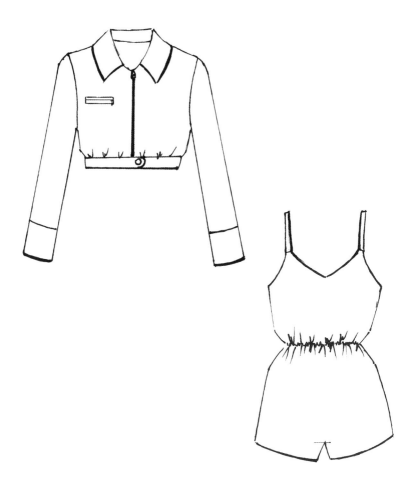

The first step is to make a sketch of the figure which shows the pose – in this case determined by the crossed legs – with the main lines of the clothing.

Im ersten Schritt werden in einer Grobskizze die Pose – in diesem Fall sind die übergeschlagenen Beine entscheidend – und die Hauptumrisse der Kleidungsstücke definiert.

Como primer paso se hace un esbozo del figurín que muestra la postura –en este caso determinada por el cruce de piernas– y las principales líneas de la vestimenta.

Je begint met een schets waarin de houding van de figuur vorm krijgt. In dit geval wordt die bepaald door de gekruiste benen. Tevens schets je de hoofdlijnen van de kleding.

The definitive lines are drawn in. It is important to show that the jumpsuit and the jacket are not the same material; that of the jumpsuit is lighter so its lines have more movement.

Beim Ziehen der endgültigen Linien ist darauf zu achten, den Stoff der Jacke und des Overalls unterschiedlich zu gestalten: Der Stoff des Overalls ist leichter, seine Linien bewegter.

Se trazan las líneas definitivas del dibujo. Es importante reflejar que la chaqueta y el mono no son de la misma tela; la del mono es más liviana por ello sus líneas tienen más movimiento.

Teken de definitieve lijnen. De stof van het jasje is anders dan die van het pakje. De stof van het pakje is lichter, zodat je die met beweeglijker lijnen moet tekenen.

Watercolors have been chosen here as it is a medium which enables the creation of different tones of the same color, depending on the amount of water used.

Für diese Übung hat man Wasserfarben verwendet, mit ihnen können je nach Verdünnungsgrad verschiedene Tonalitäten derselben Farbe erzielt werden.

Para este ejercicio se ha optado por utilizar la acuarela, ya que es una técnica que permite diversos tonos de un mismo color, dependiendo de la cantidad de agua con que se utilice.

Er is bij deze oefening gekozen voor aquarelverf, omdat je daarmee één kleur verschillende nuances kunt geven door de verf sterker of minder sterk te verdunnen.

Each of the elements is painted, beginning as always with the lighter tones and moving on to the darker ones. At this stage the color is added flat and without details.

Alle Elemente werden ausgemalt, die helleren Farbtöne werden immer vor den dunkleren aufgetragen. In diesem Schritt werden keine Details ausgemalt, und auch keine optischen Effekte ausgeführt.

Se terminan de pintar todos los elementos, avanzando siempre de los más claros a los más oscuros. En esta primera instancia se colorea de manera plana y sin detalles.

Vervolgens kleur je alle onderdelen in. Je begint altijd met de lichtste kleuren en eindigt met de donkerste. Bij deze stap kleur je nog egaal, zonder details, in.

Felt-tip pens are used for the leopard print, as they are more precise. First the black outline of the spots, then they are filled in using a darker tone of brown than the jumpsuit.

Für das Leopardenmuster werden Filzstifte verwendet, da sie präziser sind. Zuerst wird die schwarze Kontur der Flecken gemalt, dann ihr Inneres in einem dunkleren Braunton als der Overall.

Para el estampado de leopardo se usan marcadores, que son más precisos. Primero se hace el contorno negro de las manchas y luego el interior con un tono marrón más oscuro que el mono.

Gebruik voor de luipaardprint een markeerstift; daarmee kun je preciezer werken. Eerst teken je de zwarte contouren van de vlekken en vervolgens met een bruintint de binnenkant.

Two watercolor marks represent the bolero jacket and the jumpsuit – on which quick, short brushstrokes create the pattern. These few black lines help to define the figure.

Mit nur zwei Wasserfarbflecken werden hier die Bolerojacke und der Overall illustriert, kleine Pinselstriche stellen sein Muster dar. Mit den wenigen schwarzen Linien wird die Figur definiert.

Dos manchas de acuarela sintetizan el bolero y el mono; sobre éste, pequeñas pinceladas rápidas crean el estampado. Son las pocas líneas negras que ayudan a definir las figuras.

De twee met aquarel gekleurde vlakken geven bolerojasje en pakje weer. De kleine, snelle streken suggereren de print. Een paar zwarte lijnen geven de vorm van de volumes aan.

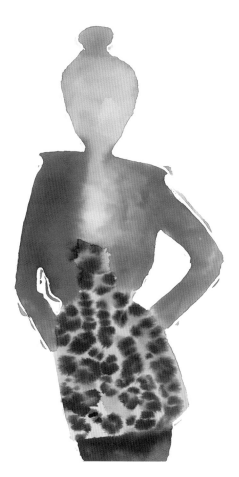

The elements of this illustration are defined by the silhouette and the contrast of the colors; it is not necessary to define the outline or mark details.

Die Silhouette und farbliche Kontraste definieren die Elemente dieser Illustration, die trotz fehlender Linien für Konturen oder Details klar verständlich ist.

Los elementos de esta ilustración se pueden definir gracias a la silueta y el contraste de los colores; no hace falta líneas que delimiten contornos o marquen detalles.

Hier hebben de onderdelen van de illustratie vorm gekregen door het silhouet en het contrast tussen de kleuren. Lijnen voor contouren en details zijn niet nodig.

The leopard print has been taken as the principal element of the outfit, and so this illustration has been created with the girl adopting the pose of the animal.

Das Leopardenmuster wurde aus dem Ensemble herausgenommen und spielt bei dieser Illustration, in der das Mädchen eine Tierhaltung einnimmt, die Hauptrolle.

Se ha extraído el estampado de leopardo como principal elemento del conjunto inicial y en función a él se ha hecho esta ilustración, en que la chica adopta la actitud del animal.

De luipaardprint is hier als hoofdelement van het geheel benadrukt. In deze illustratie krijgt het meisje trekjes van het dier.

Once again the leopard and his fur are the stars. For this reason, only the animal and the girl's jumpsuit have been colored, so they stand out against the other elements.

Auch hier spielen der Leopard und sein Fell die Hauptrolle. Daher wurden nur das Tier und der Overall ausgemalt, wodurch andere Elemente in den Hintergrund rücken.

Nuevamente el leopardo y su pelaje son los protagonistas. Por ello se ha decidido colorear únicamente al animal y el mono de la chica, para que destaquen sobre los otros elementos.

Ook hier spelen de luipaard en zijn vacht de hoofdrol. Daarom zijn alleen het dier en het pakje van het meisje ingekleurd, zodat ze goed opvallen tussen de andere elementen.

Illustrations for Men by
Illustration Männermode:
Ilustración masculina por
Illustraties herenmode van
Chidy Wayne

In just three years this Spaniard has made a name for himself in fashion. In 2006, while studying the subject at the IED in Barcelona, he worked with Antonio Miró and designed for the dance group CobosMika Company. The following year he was a finalist in *My Own Show*, organized by *Vogue Italia*, going on to win the XI Mustang Fashion Weekend in 2008. From there it was only a short step to being part of the showroom for the El Ego de Pasarela Cibeles 2009 fashion show. Illustrating has developed spontaneously and naturally as a complement to his design, and 2008 saw the publication of his first book, *Essential Fashion Illustration: Men.*

In nur drei Jahren hat sich dieser Illustrator aus Castellón einen Namen in der Modewelt gemacht. Seine berufliche Laufbahn beginnt er noch zur Zeit seines Modestudiums am IED in Barcelona im Jahr 2006, als Praktikant von Antonio Miro und Designer des Tanzensembles CobosMika Company. Im darauffolgenden Jahr nimmt er an der von *Vogue Italia* organisierten My Own Show teil, wo er sich für die Endrunde qualifiziert. Aus seinem nächsten Wettbewerb, der elften Auflage der Modemesse Mustang Fashion Weekend 2008, geht er als Sieger hervor. Von da war es nur noch ein kleiner Schritt in den Ausstellungsraum von Ego Cibeles 2009. Er kombiniert seine Tätigkeiten als Designer und Modeillustrator; auch hier hat sich seine Laufbahn spontan und natürlich entwickelt, sein erstes Buch veröffentlicht er im Jahr 2008: *Essential Fashion Illustration: Men.*

En sólo tres años este castellonense se ha hecho un nombre en el diseño de moda. Empezó en 2006, cuando, mientras estudiaba en el IED de Barcelona, hizo prácticas con Antonio Miró y diseñó para la compañía de danza CobosMika Company. Al año siguiente participó en My Own Show, organizado por *Vogue Italia*, donde resultó finalista, para ganar su próximo concurso, la XI Pasarela Mustang Fashion Weekend 2008. De ahí a ser parte del *showroom* de El Ego de Pasarela Cibeles 2009 sólo hubo un paso. De la misma manera, la ilustración ha ido surgiendo espontánea y naturalmente como un complemento al diseño, publicando en 2008 su primer libro: *Ilustración de moda masculina.*

Deze ontwerper uit Castellón de la Plana begon zijn carrière in 2006. Tijdens zijn modestudie aan het IED in Barcelona liep hij stage bij Antonio Miró en maakte hij ontwerpen voor het dansgezelschap CobosMika Company. In 2007 werd hij finalist in het door de *Vogue Italia* georganiseerde ' My Own Show'. De volgende wedstrijd waaraan hij deelnam, de 'Pasarela Mustang Fashion Weekend 2008', won hij. Toen was het nog maar één stap naar de catwalk van Ego Cibeles, 2009. Ook de illustratie was bij hem maar een stap verwijderd van het ontwerp. In 2008 publiceerde hij zijn eerste boek, *Essential Fashion Illustration: Men.*

Hooded sweatshirt and jogging pants
Sweater mit Kapuze und Jogginghose
Sudadera con capucha y pantalón chándal
Sweatshirt met capuchon en joggingbroek

When deciding which garments will be represented, one option is to start with a quick drawing in felt-tip as a reference to define the distribution of the elements and the position.

Von den Kleidungsstücken, die dargestellt werden sollen, wird eine Grobskizze mit Filzstift angefertigt, in der die Pose und die Verteilung der einzelnen Teile festgelegt werden.

Al decidir qué prendas serán representadas, una opción es hacer primero un dibujo rápido con rotulador como referencia para definir la distribución de los elementos y la postura.

Als je weet welke kleding je wilt weergeven, kun je met viltstift snel een eerste tekening maken waarin je de onderdelen en de houding van de figuur bepaalt.

A sketch of the figure is made
in pencil, with the body in
proportion. At this point
the drawing is not detailed, the
elements are simply sketched
as geometrical figures.

Die Bleistiftskizze der
Figur stimmt mit den
Körperproportionen überein.
Noch werden keine Details
ausgearbeitet, die
verschiedenen Elemente werden
mit geometrischen Figuren
dargestellt.

Se hace un boceto del figurín
con lápiz, siguiendo las
proporciones del cuerpo. En
este paso aún no se dibuja con
detalle, sino que los elementos
se sintetizan en figuras
geométricas.

Maak een potloodschets
van de figuur. Volg de
lichaamsverhoudingen. Je tekent
nog geen details; je geeft de
onderdelen globaal in
geometrische figuren weer.

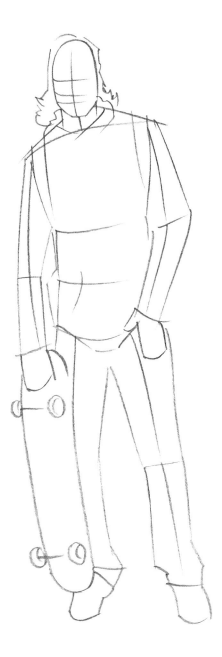

Next the figure is drawn in detail. The creases are one of the elements that give the illustration a realistic air, so it is important to represent them carefully.

Im nächsten Schritt wird die Figur im Detail gezeichnet. Falten und andere Einzelheiten lassen die Illustration lebendig erscheinen, daher ist es wichtig, sie realitätsgetreu wiederzugeben.

A continuación se dibuja detalladamente todo el figurín. Uno de los elementos que le darán realismo a la ilustración son las arrugas, por lo que es importante plasmarlas con fidelidad.

Vervolgens teken je de hele figuur met zijn details. Elementen die de illustratie realistisch maken, zijn plooien. Geef die dus getrouw weer.

Color is added – the lighter tones first – leaving white spaces to create the effect of shine and shadows which enhance the realistic style.

Bei den Farben verwendet man zuerst die helleren Töne. Manche Stellen werden weiß gelassen, um mit Glanz- und Schatteneffekten einen möglichst realistischen Eindruck zu erzielen.

Se aplica el color –primero los tonos más claros–, dejando espacios en blanco para conseguir un eficaz efecto de brillos y sombras que potencian el estilo realista.

Nu breng je kleur aan. Je begint met de lichtste tinten en laat stukjes wit. Door contrast tussen licht en schaduw weer te geven versterk je de realistische stijl.

The last stage is the outline and going over the details of the figure with a fine, black felt-tip, which will make the illustration much stronger.

Der letzte Schritt besteht darin, die Figur mit einem schwarzen Feinfaserstift zu konturieren und ihre Details nachzuziehen, wodurch die Illustration an Ausdrucksstärke gewinnt.

El último paso es contornear y repasar los detalles de la figura con un rotulador fino negro, con lo que se consigue una ilustración mucho más potente que la anterior.

Als laatste stap zet je alle contour- en detaillijnen van de figuur aan met een fijne zwarte viltstift. Zo wordt de tekening veel krachtiger.

In this kind of simple illustration, the pose is exaggerated and the proportions are not entirely true. It is colored with fat brushstrokes in the areas which represent shadow.

Diese Art synthetischer Illustration verzichtet auf Proportionen und übertreibt die Pose. Mit groben, intuitiven Pinselstrichen werden die Schattenpartien ausgemalt.

En este tipo de ilustración sintetizada, se obvían las proporciones y se exagera más la pose. Se colorea de forma intuitiva y con trazos gruesos en las zonas que correspondan a las sombras.

In dit soort gestileerde illustraties zijn de juiste verhoudingen van minder belang en wordt de pose overdreven. Met dikke streken geven je schaduwen aan.

This is the digital version of the figure drawn previously. It has been done with a graphic tablet that allows one to draw with a pencil and so obtain precision in the illustration.

Diese Digitalversion des zuvor skizzierten Modells wurde mithilfe eines digitalen Zeichenbretts erstellt, das ein sehr präzises Arbeiten mit Bleistift ermöglicht.

Esta es una versión digital del figurín anteriormente dibujado, hecho con la ayuda de una tableta gráfica, que permite dibujar con un lápiz y obtener precisión en el dibujo.

Dit is een digitale versie van de figuur, gemaakt met een tekentablet. Je tekent daarbij met een pen, zodat je heel precies kunt werken.

Naïve style illustrations are characterized by the simplicity of the drawing, so the strokes of a felt-tip are ideal for this kind of picture.

Illustrationen im naiven Stil zeichnen sich durch ihre Einfachheit aus, daher ist der Faserstift dank seiner Linienführung gut für die Erlernung dieser Zeichentechnik geeignet.

Las ilustraciones de estilo naif se caracterizan por la simplicidad en el dibujo, por ello el rotulador –gracias al trazo que permite– es un buena técnica para desarrollarlas.

Illustraties met een naïeve stijl worden gekenmerkt door eenvoud. De viltstift is een geschikt middel hiervoor, omdat je daarmee de juiste streken kunt zetten.

For realistic illustrations the pencil will always be the best option, as it enables one to draw in detail in a variety of shades of grey to create shadows and volume.

Für realistische Illustrationen ist der Bleistift immer vorzuziehen, da er sich hervorragend für detailgetreues Zeichnen und Schattierungen in verschiedensten Grautönen für Tiefeneffekte eignet.

Para las ilustraciones realistas, el lápiz siempre será la mejor técnica, ya que permite dibujar con detalles y en una variada escala de grises, ideales para representar sombras y volúmenes.

Voor realistische tekeningen gebruik je een potlood. Je kunt er details mee tekenen en veel grijstinten mee creëren om schaduwen en volumes weer te geven.

Classic morning suit
Cutaway und klassische Hose
Chaqué y pantalón clásico
Jacquet met klassieke pantalon

First a sketch of the figure to be
represented is drawn in felt-tip.
This gives the idea of the image
without the need to add all the
details.

Mit Faserstift wird eine
Grobskizze der Figur angefertigt.
Ohne alle Details auszugestalten
soll hier nur die Grundidee
übermittelt werden.

En primera instancia, se hace
una síntesis del figurín que se
va a representar con rotulador.
El fin es que la idea pueda
captarse sin necesidad de
añadir todos los detalles de la
imagen.

Eerst geef je met een viltstift
de figuur globaal weer. Doel
daarvan is dat je idee daarin tot
uiting komt zonder dat je alle
details hoeft uit te werken.

Based on the outline, a sketch is made of the figure using geometric shapes, defining the pose and the elements. This will help to create the correct outline in the next stage.

Auf dieser Grobskizze aufbauend, werden nun mit geometrischen Formen Pose und Elemente des Modells definiert, die die Grundlage für den nächsten Arbeitsschritt bilden.

Basado en la síntesis, se hace un boceto del figurín, donde, con figuras geométricas, se precisa su postura y elementos, que ayuda a crear un contorno fiable en el siguiente paso.

Op basis van de globale weergave schets je de figuur. Geef met geometrische vormen de houding en onderdelen aan. Zo creëer je de juiste contouren voor de volgende stap.

A soft pencil is used to create confident lines and the figure is drawn in detail, including the creases produced by the bent arm, and those around the hem of the pants.

Mit einem weichen Bleistift und sicherer Hand werden das Modell und seine Details in klaren Linien definiert, wobei die Falten an den gebeugten Ellbogen und am Hosensaum nicht vergessen werden dürfen.

Con un lápiz blando, y con línea segura, se dibuja detalladamente el figurín, sin olvidar representar las arrugas que se producen en la flexión de los brazos y el bajo del pantalón.

Met een zacht potlood werk je met zekere lijnen de figuur gedetailleerd uit. Vergeet de plooien in de licht gebogen arm en onder in de broekspijp niet.

Watercolor is used to paint the figure, as it is a good medium to represent shadows and gradations of color. Areas on which the light shines directly are left white.

Die Figur wird mit Aquarellfarben bemalt, denn sie eignen sich hervorragend für Schatteneffekte und farbliche Abstufungen. Stellen, an denen das Licht direkt auftrifft, werden weiß belassen.

Se utiliza acuarela para colorear el figurín, ya que es una buena técnica para la representación de sombras y degradados. Se dejarán en blanco las zonas donde la luz llega plenamente.

Voor het inkleuren van de figuur gebruik je aquarelverf. Hiermee kun je goed schaduwen en nuances weergeven. Je laat de plekken waar licht op valt wit.

The last step is to go over all the lines with a black felt-tip, including those of the main creases which help to define the figure and complete the shaded effect.

Zuletzt zieht man alle Linien mit einem schwarzen Faserstift nach, einschließlich der wichtigsten Falten. Die Figur wird so besser definiert und der Schattierungseffekt verstärkt.

Como último paso, se redibujan todas líneas con un rotulador negro, incluso las de las principales arrugas, lo que define mejor la figura y completa el efecto del sombreado.

Tot slot trek je alle lijnen, ook de belangrijkste plooien, met een zwarte viltstift over. Zo krijg je een duidelijkere figuur en wordt het schaduweffect versterkt.

This kind of representation works well done with felt-tips, using fine / medium points for the outlines and thick tips to color in areas.

Für diese sehr schematische Darstellungsart ist der Faserstift hervorragend geeignet, die mittelfeinen werden für die Umrisse verwendet, die mit mitteldicker Spitze für die Flächen.

Este tipo de representación, bastante esquemática, queda muy bien hecha con rotuladores, combinando los de punta fina-media para los contornos con los gruesos para el color.

Deze tamelijk schematische weergave kan heel goed met viltstiften gemaakt worden. Voor de contouren gebruik je fijne en medium viltstiften, voor de inkleuring dikke.

The advantage of the digital technique is that things can be added and removed in an instant, so it is easy to try different colors, like when deciding where to place the shiny areas.

Die digitale Technik bietet den Vorzug beliebig löschen und neu zeichnen zu können, daher können Farbproben durchgeführt werden, um z.B. Glanzeffekte optimal zu situieren.

La ventaja de la técnica digital es que permite hacer y deshacer al instante, con lo que se pueden hacer pruebas de colores, como por ejemplo dónde situar exactamente los brillos.

Het voordeel van werken met de computer is dat je heel snel iets kunt tekenen en ook snel kunt verwijderen. Je kunt alles uitproberen met kleur.

The naïve style produces child-like drawings, so the realistic characteristics of the figure are deliberately modified. Here the shoulders have been drawn narrow and slumped.

Der naive Stil ahmt den eines Kindes nach, daher werden die realitätsgetreuen Umrisse der Figur bewusst abgeändert. Hier wurden die Schultern schmal und herabhängend gezeichnet.

El estilo naif busca recrear cómo dibujaría un niño, por ello expresamente se modifican los rasgos reales del figurín. En este caso, los hombros se han dibujado estrechos y caídos.

Met een naïeve stijl imiteer je kindertekeningen. De werkelijke trekken van de figuur worden daarin aangepast. De schouders hangen hier af en vallen recht naar beneden.

To obtain the best results with realistic illustrations it is fundamental to pay attention to all the details, from the proportions to the facial expression and body language.

Bei realistischen Illustrationen muss für ein optimales Ergebnis allen Details Beachtung geschenkt werden: von den Proportionen bis zum Gesichts- und Körperausdruck.

Al tratarse de ilustraciones realistas, para obtener un resultado óptimo es fundamental ocuparse de todos los detalles, desde las proporciones hasta la expresión facial y corporal.

Voor een realistische tekening moet je voor het beste resultaat alle details aandacht geven, van de verhoudingen tot de gezichts- en lichaamsexpressie.

Jeans and knitted cardigan
Jeanshose und Strickweste
Pantalón tejano y cárdigan de punto
Spijkerbroek en gebreid vest

This sketch defines the pose. As the material of the cardigan is light, the figure has been drawn with the arms bent to show how the fabric creases.

Mit dieser Grobskizze wird die Pose festgelegt. Wegen des leichten Stoffes der Weste wurde das Modell mit gebeugten Armen gezeichnet, um den Faltenwurf entsprechend zu illustrieren.

Esta síntesis define la postura. Debido a que la tela del cárdigan es liviana, se ha optado por dibujar el figurín con los brazos doblados, para mostrar el comportamiento de las arrugas.

De houding is globaal weergegeven. Omdat de stof van het vest licht is, is ervoor gekozen de armen van de figuur iets te laten buigen. Zo is goed te zien welke plooien er ontstaan.

It is essential that the figure looks believable in the chosen pose. Consequently the location of the feet and the position of the legs have to be correct.

Die gewählten Posen müssen an der Figur natürlich und glaubhaft wirken, daher muss die Ausrichtung der Füße und die Stellung der Beine der Realität entsprechen.

Es indispensable que el figurín se mantenga en pie de forma creíble según la postura elegida. Para ello la posición de los pies y la disposición de las piernas ha de ser la correcta.

Let er goed op dat stand van de lichaamselen overeenkomt met de rechtopstaande houding. De positie van de voeten en de stand van de benen moeten correct zijn.

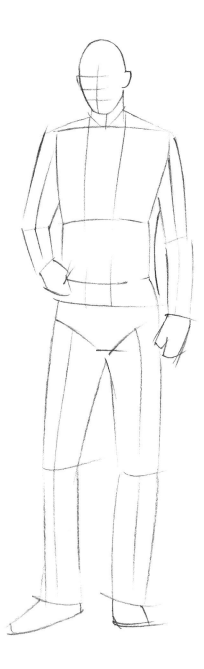

The figure is drawn in detail, including the creases which form in the clothes. On the torso they are under the arm, in the elbow and at the waist.

Die Figur wird nun im Detail gezeichnet; der Faltenwurf darf nicht vergessen werden. Im Rumpfbereich konzentriert sich dieser auf bestimmte Stellen im Achselbereich, an den Ellbogen und der Taille.

Se dibuja con precisión el figurín, sin olvidar las arrugas que se forman en la ropa. En el tronco, éstas se concentran en algunos puntos exteriores. como axilas, codos y cintura.

Werk de figuur heel precies uit en vergeet de plooien niet die in de kleding vallen. Ze concentreren zich in de romp op punten als oksels, ellebogen en middel.

When using watercolor it is usual to leave white spaces to represent shine, but the creases will always be colored because they create shadows, as seen here in the pants.

Beim Malen mit Aquarellfarben werden Stellen für Glanzeffekte frei gelassen, die Falten sollte man jedoch immer ausmalen, da auf sie Schatten projiziert werden, wie hier an der Hose erkennbar ist.

Al colorear con acuarela se suelen dejar zonas blancas para los brillos, sin embargo las arrugas siempre tendrán color, ya que en ellas se proyectan sombras, como se ve en el pantalón.

Bij het inkleuren met aquarelverf laat je altijd wat plekken wit om glans te suggereren. Plooien geef je altijd kleur omdat daar schaduw valt, zoals goed te zien is in de broek.

The last step is to go over the outline, which helps to define the figure more clearly. The lines of the creases are also marked so they do not disappear with the watercolor.

Zuletzt werden die Konturen nachgezogen, wodurch die Figur klarer definiert wird. Auch die Faltenlinien werden nachgezogen, damit sie nicht unter den Aquarellfarben verschwinden.

El último paso es repasar los contornos, que ayudan a definir mejor la figura. Las líneas de las arrugas también se marcan para que éstas no desaparezcan con la acuarela.

Tot slot zet je de contouren aan om de figuur beter te laten uitkomen. Ook de lijnen van de plooien zet je aan om te voorkomen dat ze wegvallen tegen de aquarelverf.

This type of illustration has to be done with quick, agile brushstrokes, which are finished in a few seconds. They are ideal to transmit a design idea without going into details.

Eine schnelle und gekonnte Linienführung, die in wenigen Sekunden die Figur zu Papier bringt, ist hier nötig. Sie eignet sich vorzüglich für die Vermittlung einer Grundidee ohne Details.

Este tipo de ilustración ha de hacerse con trazos rápidos y ágiles, que permitan acabar en pocos segundos. Es ideal para plasmar una idea de diseño sin entrar en detalles.

Dit soort illustraties maak je met snelle, soepele streken en halen. Ze zijn klaar in een paar tellen. Ze zijn ideaal om een ontwerp vorm te geven zonder in details te hoeven treden.

This illustration has been colored digitally as if it were done in watercolors, leaving some areas white and marking the edges in black. The difference is that here the colors are flat.

Es wurde digital so ausgemalt, wie man es mit Wasserfarben machen würde: Einige Stellen wurden frei gelassen, die Ränder schwarz hervorgehoben; allerdings bleiben die Farben hier flach.

Se ha coloreado digitalmente igual como se haría con acuarela: dejando algunas zonas en blanco y marcando los bordes con negro. La diferencia es que aquí los colores son planos.

Hier is digitaal net zo gewerkt als met aquarelverf: een paar plekken zijn wit gelaten en de randen zijn zwart gemaakt. Het verschil is dat de inkleuring hier geheel egaal is.

Felt-tips are a good tool for creating totally flat colors. It is also possible to create a small shadow by drawing parallel lines in the appropriate area.

Der Filzstift eignet sich vorzüglich zur Erzielung flacher Farben. Je nach Wunsch kann an bestimmten Stelle mit parallelen Linien eine kleine Schattierung erzielt werden.

El rotulador es una buena herramienta para obtener colores totalmente planos. Si se desea, es posible marcar una pequeña sombra trazando líneas paralelas en la zona que corresponda.

Met een viltstift kun je heel goed egaal inkleuren. Indien gewenst, kun je schaduw aangeven door parallelle lijnen te trekken op de betreffende plekken.

When working in pencil there are different ways to create shadows, lighter or darker as required. The area can be colored, as seen on the neck, or shaded, as on the shoes.

Mit dem Bleistift sind verschiedene Schattierungstechniken mit unterschiedlich intensiven Resultaten möglich, so wie hier im Halsbereich und bei den Schuhen.

Al trabajar con el lápiz existen distintas formas de hacer sombras, más o menos intensas. Se puede, como en el cuello, colorear el área o jugar con el achurado, como en los zapatos.

Je kunt met potlood op diverse manieren lichtere of diepere schaduwen creëren. Je kunt een plek inkleuren, zoals hier in de hals, of met lijntjes spelen, zoals hier in de schoenen.

Tailored pants and jacket with foulard scarf at the neck
Hose und Schneidersakko mit Halstuch
Pantalón y americana sastre con foulard al cuello
Broek en jasje met sjaal

A quick sketch in felt-tip, concerned not with perfection but with the message to be transmitted, is a simple, effective way to communicate an idea.

Eine schnell gefertigte, mit Faserstift ausgeführte Skizze, bei der Details eine untergeordnete Rolle spielen, vermittelt auf simple, aber effiziente Art die Grundidee.

Un dibujo rápido hecho con rotulador, sin preocuparse de la perfección de la imagen sino que en el mensaje que transmite, es una forma de comunicar, simple y eficazmente, una idea.

Met een snelle viltstifttekening maak je geen perfecte afbeelding, maar breng je een boodschap over. Je kunt er eenvoudig en effectief een idee mee uitbeelden.

The first step is to draw the
vertical to ensure the figure is
straight, and it can then be
drawn later with simple lines,
like a wire model.

Zuerst wird eine vertikale Linie
gezogen um sicherzustellen,
dass die Figur waagerecht steht.
Die Figur wird dann nur mit
Linien definiert, so als handelte
es sich um eine Drahtpuppe.

El primer paso es trazar una
vertical para asegurarse que el
figurín está recto. Luego se
dibuja la figura sólo con líneas,
como si se tratase de un
muñeco de alambres.

Als eerste trek je een verticale
lijn om de figuur rechtop te laten
staan. Vervolgens geef je de
figuur met uitsluitend lijnen
weer, alsof hij van ijzerdraad is.

The excess lines are eliminated and all the elements are drawn in, defining as many details as possible to make it easier to color the illustration later.

Die überschüssigen Linien werden gelöscht und alle Elemente so detailgetreu wie möglich eingezeichnet, um das spätere Ausmalen zu erleichtern.

Se elimina el exceso de líneas y se dibujan todos los elementos, procurando definir la mayor cantidad de detalles para facilitar posteriormente el proceso de colorear.

Gum overbodige lijnen uit en teken vervolgens alle onderdelen. Geef zoveel mogelijk details aan, zodat je later gemakkelijker kunt inkleuren.

With white or very light colored outfits, only the areas where the material creases are colored, using light greys or a slightly darker shade of the color used for the garment.

Um das weiße bzw. sehr hellfarbige Ensemble darzustellen, wurden nur die Bereiche mit Falten mit sanften Grautönen ausgemalt und die Grundfarbe des Zweiteilers etwas dunkler dargestellt.

Para representar el conjunto blanco o de un color muy claro, se ha optado por darle color sólo a las zonas de arrugas con grises suaves o por oscurecer levemente el color de la prenda.

Om witte of lichte kleding weer te geven, kun je volstaan met de plooien met lichte grijstinten of met een iets donkerdere tint dan het kledingstuk zelf in te kleuren.

When the whole illustration has been colored, going over the pencil lines with a black felt-tip helps to define garments which are light in color.

Um hellfarbene Kleidungstücke zu definieren ist es auch hilfreich, nach dem Ausmalen der gesamten Illustration die Bleistiftlinien mit einem schwarzen Faserstift nachzuziehen.

Cuando se ha coloreado toda la ilustración, el hecho de repasar con un rotulador negro las líneas del lápiz ayuda también a definir estas prendas de colores claros.

Als de hele tekening is ingekleurd, kun je met behulp van een zwarte viltstift benadrukken dat het om lichte kleding gaat door de potloodlijnen over te trekken.

Once the figure has been drawn in felt-tip, using swift strokes, watercolor has been chosen to color it. This enables quick, wide brushstrokes, which give a very artistic finish.

Die Figur wurde mit Faserstift in schnellen Zügen gezeichnet und mit Aquarellfarben bemalt, da diese breite und schnelle Pinselstriche und damit ein sehr künstlerisches Endresultat ermöglichen.

Una vez dibujada esta figura con un rotulador y trazos rápidos, se ha escogido la acuarela para pintarla, que permite dar brochazos anchos y rápidos, con un resultado muy artístico.

Deze figuur is eerst snel met viltstift getekend. Hij is ingekleurd met aquarelverf, omdat daarmee dikke, snelle streken kunnen worden gezet. Het resultaat is artistiek.

The computer has been used to produce completely flat colors. In this case, the best way to create a realistic effect is to draw the shadows correctly, using a darker tone.

Die digitalen Farben sind hier völlig flach. Für ein realistisch wirkendes Ergebnis müssen in diesem Fall die Schatten an den entsprechenden Stellen in einem dunkleren Ton bemalt werden.

Se ha usado el ordenador con colores absolutamente planos. Por ello, la mejor manera de obtener resultados realistas es aplicar correctamente las sombras, de un tono más oscuro.

Met de computer maak je volledig effen kleuren. Om toch een realistische tekening te krijgen, moet je de schaduwen correct weergeven in een iets donkerder tint.

This is a simple, childlike way to represent a figure. It is equally valid as a fashion illustration as the important thing is that the person who sees it understands the garments.

Diese Darstellungsart ist ausgesprochen einfach und etwas kindlich. Dennoch erfüllt sie ihren Zweck, da sie dem Betrachter hilft, sich die Kleidungstücke vorzustellen.

Esta es una manera de representar un figurín muy simple y un poco infantil. Igualmente funciona como ilustración de moda, ya que lo que importa es que el receptor entienda las prendas.

Je kunt een figuur heel eenvoudig en een beetje kinderlijk weergeven. Toch gaat het hier om een echte mode-illustratie, omdat de boodschap van de kleding overkomt.

Several pencils can be used to create different thicknesses, definitions and tones. Here the outline and the main lines have been drawn with a softer pencil than the rest.

Mit verschiedenen Bleistiften können Dicke, Konturen und Farbtöne unterschiedlich definiert werden. Für Umriss und Hauptlinien wurde hier ein weicherer Bleistift als für die restliche Figur verwendet.

Se pueden usar varios lápices para obtener distintos grosores, definición y tonos. Aquí, los contornos y las líneas principales se han hecho con un lápiz más blando que el resto.

Je kunt potloden van verschillende dikte en hardheid gebruiken. In het voorbeeld zijn de contouren en hoofdlijnen met een zachter potlood gemaakt dan de rest van de tekening.

Classic suit
Klassischer Anzug
Traje clásico
Klassiek pak

This is a linear illustration, in which the head and the waist have been reduced and emphasis has been given to the masculine attributes such as the shoulders and pectorals.

Hier handelt es sich um eine schematischere Illustration, bei der Kopf und Taille reduziert und typisch männliche Attribute wie die Brustmuskulatur und die Schulterpartie betont wurden.

Esta es una ilustración más esquemática, en la que la cabeza y la cintura se han reducido y se ha dado fuerza a atributos físicos propiamente masculinos, como los hombros y pectorales.

Dit is een schematische illustratie, waar hoofd en middel zijn vereenvoudigd en typisch mannelijke kenmerken zijn benadrukt, zoals brede schouders en borst.

To ensure that the elements are correctly placed on the figure, horizontal lines are first drawn as a guide to indicate their position, as seen here with the facial features.

Um die einzelnen Elemente realitätsgetreu an der Figur zu reproduzieren, werden die entsprechenden Stellen mit horizontalen Linien vormarkiert, wie in diesem Fall die Gesichtszüge.

Para que los elementos queden bien situados en el figurín, se hacen líneas horizontales en el lugar donde deben encontrarse antes de dibujarlos, como aquí los rasgos del rostro.

Om alle onderdelen op de juiste plaats te krijgen, trek je horizontale lijnen op de plekken in kwestie, zoals hier voor de gelaatstrekken is gedaan, voordat je ze tekent.

When drawing the figure in detail, elements can be added to the garment to help mark and define the body, as shown here with the fastened jacket button.

Bei der Ausgestaltung der Details können dem Kleidungsstück Elemente hinzugefügt werden, um den Körper besser zu betonen und zu definieren, wie hier der zugeknöpfte Sakkoknopf.

Al dibujar con detalles el figurín, se pueden añadir elementos a la prenda que ayuden a marcar y definir mejor el cuerpo, como en este caso el botón abrochado de la americana.

Als je de figuur in detail uitwerkt, kun je elementen aan het kledingstuk toevoegen die het lichaam duidelijker vormgeven, zoals hier de dichtgemaakte knoop van het jasje.

The light has been represented coming from behind, so the shadow is concentrated in the center. To create the impression that the edges are bathed in light, they have been left white.

In diesem Fall wurde von hinten einfallendes Licht simuliert. Daher liegt der Schatten in der Mitte, während die vom Licht beschienenen Ränder weiß belassen wurden.

En este caso se ha simulado que la luz incide desde atrás. Por ello, la sombra se concentra en el centro y como los bordes quedan impregnados por la luz, se han dejado en blanco.

Op het voorbeeld is gedaan alsof het licht van achteren komt. De schaduw concentreert zich daarom in het midden. Aangezien op de beide zijden licht valt, zijn die wit gelaten.

A fine felt-tip (up to 1 mm) is used to give the outline greater definition and emphasize that the white areas around the edge are where the light shines onto the garments.

Die Definition der Konturen wird mit einem Feinfaserstift – maximale Breite 1 mm – verbessert: So wird erkennbar, dass die danebenliegenden weißen Stellen unter direktem Lichteinfall stehen.

Los contornos se repasan con un rotulador fino de hasta 1 mm, con lo que ganan definición y se interpreta mejor que las zonas blancas de los bordes son las que reciben plena luz.

Met een fijne viltstift, tot 1 mm dikte, zet je de contouren aan. Die worden duidelijker en bovendien is beter te zien dat de zijden wit zijn, omdat het licht er vol op valt.

The figure is standing straight and the light could be coming from anywhere, so only the central area has been colored, an effect which works well in this kind of illustration.

Das Licht kann auf die in gerader Haltung gezeichnete Figur von allen Seiten einfallen, daher wurde nur der innere Bereich ausgemalt, dieser Effekt eignet sich vor allem bei dieser Darstellungsart.

El figurín se ha dibujado recto y la luz podría venir de cualquier parte, por ello se ha coloreado sólo la zona interior, un efecto que funciona sobre todo en este tipo de ilustración.

De figuur is hier in een rechte houding getekend en het licht kan van elke kant komen. Daarom is alleen binnenin gekleurd. Vooral bij dit soort illustraties werkt deze methode goed.

This figure is also in an upright position, and the hands in the pockets immediately indicate the areas in which shadows will be produced by the behavior of the fabric.

Diese Figur befindet sich ebenfalls in aufrechter Position, da sie aber ihre Hände in den Hosentaschen hat, werden die Schattenbereiche aufgrund des Stoffverhaltens sofort sichtbar.

Este figurín también está en posición erguida pero el gesto de las manos en los bolsillos indica de inmediato las zonas en las que se producen sombras por el comportamiento de la tela.

Ook deze figuur staat rechtop, maar de handen in de zakken laten meteen zien waar schaduw ontstaat door de manier waarop de stof valt.

When using felt-tip pens the
changes in color are less subtle
than with other techniques, so
the shading has been created
using clear parallel lines in a
darker color.

Da hier Faserstifte
verwendet wurden, sind die
Farbunterschiede weniger
markant als bei anderen
Techniken, deshalb wurde
mit parallel verlaufenden
Linien in dunklerem Farbton
nachschattiert.

Al usar rotuladores los cambios
de color son menos sutiles que
con otras técnicas, por lo que
se ha optado por sombrear
directamente con notorias líneas
paralelas de un color más
oscuro.

Met viltstiften kun je minder
goed nuances weergeven dan
met ander tekengerei. Hier is
schaduw weergegeven met
arceringen die iets donkerder
zijn dan de ondergrond.

If trying to leave the clothes "cleaner" but still create a composition with a realistic style, this can be achieved by putting a lot of detail into the face to give it strength.

Möchte man die Kleidungstücke nicht detailliert ausgestalten, aber dennoch einen realistischen Stil erzielen, kann man die Gesichtspartien besonders ausdrucksstark anlegen.

Si se desea dejar más limpia la vestimenta pero aun así hacer una composición de estilo realista, se puede conseguir trabajando bien los detalles del rostro para darle fuerza.

Als je het kledingstuk niet verder wilt invullen maar toch een compositie in realistische stijl beoogt, kun je de details van het gezicht uitwerken zodat dat krachtig wordt.

Fur-lined Nubuck coat and jogging pants
Nobukmantel mit Fell und Jogginghose
Abrigo de nobuk con pelo y pantalón de chándal
Gewatteerde jas van nubuckleer met sportbroek

This kind of illustration can be considered as one of the first steps to creating a look or composition, and from here details can be added.

Diese Darstellungsart kann als erster Schritt in Richtung hin zu einem eigenständigen *look* oder einer Komposition gewertet werden; die Details folgen später.

Este tipo de ilustración se puede considerar como uno de los primeros pasos de investigación hacia un *look* o composición. A partir de aquí se puede entrar en detalles.

Dit soort illustraties is geschikt om de mogelijkheden van een *look* of compositie af te tasten. Vervolgens kan een en ander gedetailleerd worden uitgewerkt.

In making the first outline in pencil, sketched positioning lines are drawn not only for the body but also for the garments, and later the whole outfit will be drawn.

In der ersten Bleistiftskizze wird nicht nur die Haltung der Figur definiert, sondern auch in welcher Form die Kleidungsstücke auf ihr sitzen, die später vollständig dargestellt werden.

Al hacer el primer boceto con lápiz se trazan líneas esquemáticas de posición no sólo del cuerpo sino también de las prendas, ya que finalmente se dibujará el conjunto completo.

Als je met potlood de eerste schets maakt, teken je schematisch de lijnen van het lichaam en de kleding. Later werk je de tekening helemaal uit.

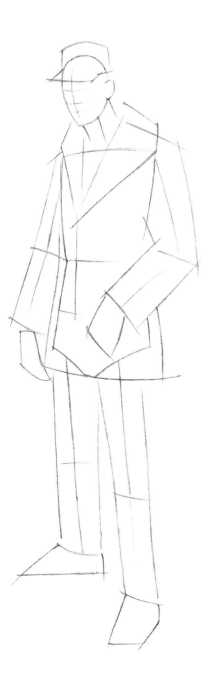

The figure is drawn in detail, paying close attention to the lines of stitching on the pants and the various parts of the coat, which should follow the shape of the body.

Das Modell wird detailgetreu gezeichnet, mit besonderem Augenmerk darauf, dass Hosennähte und Mantel korrekt auf dem Körper sitzen.

Se dibuja detalladamente el figurín, prestando especial cuidado a las líneas de las costuras del pantalón y las partes del abrigo, que deben seguir el volumen del cuerpo.

Teken de figuur nu in alle details. Let vooral op de lijnen van de broek en delen van de jas die de vorm van het lichaam moeten volgen.

Watercolor has been used to color the illustration, applied carefully within the pencil lines. First the lighter tones are painted, and later the shadows are created.

Die Wasserfarben werden sorgsam auf die mit Bleistift vorgezeichneten Linien aufgetragen, die hellen Farben zuerst, die Schattierungen später.

Para colorear se utiliza acuarela, que se aplica cuidadosamente siguiendo las líneas hechas con lápiz. Primero se aplican los tonos más claros y luego se hacen las sombras.

Kleur in met aquarelverf. Breng de verf zorgvuldig aan en volg daarbij de potloodlijnen. Eerst breng je de lichtste kleuren aan, dan de delen waar schaduw op valt.

To finish, a fine, black felt-tip is used to go over the lines, which helps to emphasize details such as the glasses, and clearly defines the creases and also the weight of the material.

Die Linien werden mit schwarzem Feinfaserstift nachgezogen, um Details wie die Brille zu betonen oder Falten klarer zu definieren, damit das Gewicht des Stoffes besser zum Ausdruck kommt.

Para finalizar se repasan la líneas con un rotulador fino negro, que en este caso ayuda a potenciar detalles como las gafas o definir bien las arrugas y con ello el peso de la tela.

Tot slot zet je de lijnen aan met een fijne zwarte viltstift. Details als de bril en de plooien worden daardoor krachtiger, zodat de tekening meer *body* krijgt.

A felt-tip is used to draw the figure with quick, confident strokes. Just two tones are employed to color with the same spontaneity, without worrying to fill all the spaces.

Mit einem Faserstift wird die Figur mit schnellen und sicheren Strichen skizziert. Mit nur zwei Farben wird sie genauso zügig ausgemalt, wobei mehrere Stellen unbemalt bleiben.

Con un rotulador, se dibuja el figurín con trazos rápidos y seguros. Con sólo dos colores, se colorea con la misma espontaneidad, sin preocuparse de rellenar todos los espacios.

Met een viltstift teken je de figuur met snelle, zekere streken. Met slechts twee kleuren kleur je de onderdelen losjes in. De vlakken hoeven niet helemaal bedekt te worden.

The illustration was created digitally, which offers a wide range of colors: a darker tone than the jacket for the interior and one even darker to create the shadows.

Es handelt sich um eine digitale Illustration, mit der ihr eigenen großen Farbauswahl: Für das Innere der Jacke wurde ein dunklerer Farbton gewählt, für die Schatten ein noch dunklerer.

La ilustración se ha hecho digitalmente, lo que ofrece una amplia gama de colores: un tono más oscuro que la chaqueta para su interior y uno aún más oscuro para las sombras en él.

Deze illustratie is met de computer gemaakt, die een breed kleurengamma biedt. De voering is iets donkerder dan de jas zelf, en de schaduwen in de voering zijn nog iets donkerder.

The coat has been completely colored and the shadows drawn in, while on the red elements some spaces have been left white; two styles which are compatible in the same composition.

Der Mantel wurde völlig ausgemalt und auch schattiert, während bei den rotfarbenen Elementen manche Stellen weiß gelassen wurden, beide Stile können miteinander kombiniert werden.

El abrigo se ha coloreado completamente y se ha sombreado mientras que en los elementos rojos se ha dejado un espacio en blanco, dos estilos compatibles en una misma composición.

De jas is helemaal ingekleurd, met schaduwen en al. Alleen in de rode vlakken zijn stukjes wit gelaten. Er zijn twee stijlen verenigd in één tekening.

To represent the dark skin the shadows have been made heavier and extended, without covering the whole face, which has been given shine without loosing the sense of color.

Um die dunkle Haut zu darzustellen, wurde intensiver und breiter schattiert, ohne das gesamte Gesicht zu bedecken, dadurch erhält es Glanz und erscheint getönt.

Para representar la piel oscura se han profundizado y extendido las sombras sin llegar a cubrir todo el rostro, lo que le confiere brillo pero no pierde la sensación de color.

Om de donkere huid weer te geven zijn de schaduwplekken groter en donkerder gemaakt, zonder dat ze het hele gezicht bedekken. Zo wordt zowel lichtval op het gezicht gesuggereerd.

Jeans and t-shirt
Jeanshose und T-Shirt
Pantalón tejano y camiseta
Spijkerbroek met T-shirt

A quick outline is made of the figure, without details and concealing parts of the body which are difficult to draw, such as hands or feet.

Zuerst wird eine grobe Skizze des Modells angefertigt, wobei auf Details verzichtet wird und schwer zu zeichnende Körperteile wie Hände und Füße nur grob angedeutet werden.

Se hace una primera aproximación rápida del figurín en la que se ha prescindido de detalles y disimulado partes del cuerpo que resultan complicadas de dibujar como las manos o los pies.

Maak een snelle, globale tekening van de figuur. Details kun je weglaten. Gecompliceerde lichaamsdelen zoals handen en voeten werk je niet uit.

The pose chosen – quite relaxed – is appropriate for the outfit to be represented, and is determined by the inclination of the head and the position of the hands.

Die sehr lockere Körperhaltung der Figur – geneigter Kopf und hängende Arme – entspricht dem Stil der dargestellten Kleidungsstücke.

Se ha elegido una postura acorde con el conjunto que se va a representar –bastante distendida– y que se ve determinada por la inclinación de la cabeza y la posición de las manos.

Er is gekozen voor een losse, relaxte houding die past bij de kleding. Deze houding wordt bepaald door het licht gebogen hoofd en de positie van de handen.

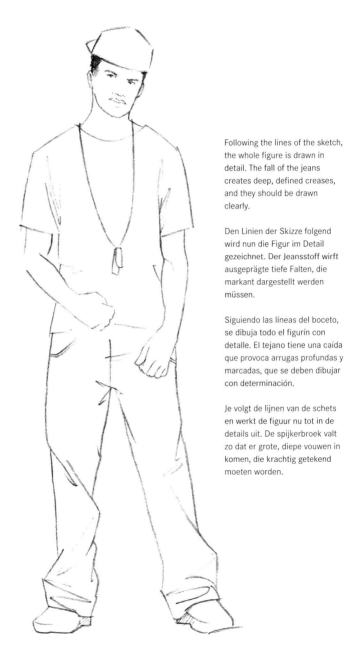

Following the lines of the sketch,
the whole figure is drawn in
detail. The fall of the jeans
creates deep, defined creases,
and they should be drawn
clearly.

Den Linien der Skizze folgend
wird nun die Figur im Detail
gezeichnet. Der Jeansstoff wirft
ausgeprägte tiefe Falten, die
markant dargestellt werden
müssen.

Siguiendo las líneas del boceto,
se dibuja todo el figurín con
detalle. El tejano tiene una caída
que provoca arrugas profundas y
marcadas, que se deben dibujar
con determinación.

Je volgt de lijnen van de schets
en werkt de figuur nu tot in de
details uit. De spijkerbroek valt
zo dat er grote, diepe vouwen in
komen, die krachtig getekend
moeten worden.

It is colored with watercolors
applied with a fine brush so as
not to go over the pencil lines. It
is not necessary to color the
whole area, and spaces are left
white to create shine.

Die Figur wird mit Wasserfarben
und einem feinen Pinsel
ausgemalt, um die
Bleistiftränder nicht zu
übermalen. Vereinzelt werden
für Glanzeffekte Stellen weiß
belassen.

Se colorea con acuarela y un
pincel fino para no rebasar los
bordes de lápiz. De hecho, no es
necesario pintar toda el área con
color, y se dejan espacios en
blanco para los brillos.

Gebruik bij het inkleuren met
aquarelverf een fijn penseel
zodat je binnen de lijnen blijft.
Je hoeft de vlakken niet volledig
in te kleuren. Met witte plekken
suggereer je glans.

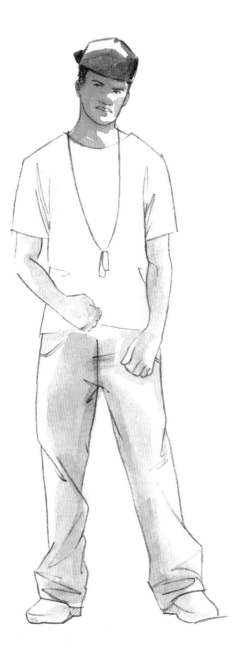

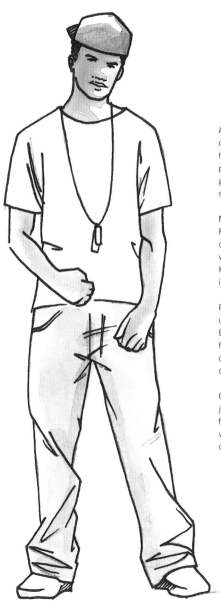

A fine black felt-tip is used to complete the illustration. This helps to define the figure better, particularly when white garments are represented, as shown here.

Mit einem schwarzen Feinfaserstift wird abschließend die Figur klarer definiert, was vor allem bei weißen Kleidungsstücken nötig ist, wie in diesem Fall.

Para completar la ilustración se utiliza un rotulador fino negro. Éste ayuda a definir mejor el figurín, sobre todo cuando está compuesto de prendas blancas, como en este caso.

Gebruik een fijne zwarte stift om je illustratie af te maken. De figuur wordt nu veel duidelijker, vooral omdat hij een licht T-shirt draagt.

This type of illustration, drawn
flat with quick, confident
strokes, is very appropriate for
the urban style of the figure.

Dieser Illustrationsstil entspricht
dem urbanen Typ der Figur. Die
zügigen, entschlossen mit
Faserstift ausgeführten Striche
verleihen ihr Lebendigkeit, wobei
die Tiefenwirkung hier
nebenrangig ist.

Este tipo de ilustración, que se
ha dibujado en un plano
contrapicado con trazos rápidos
y decididos de rotulador, queda
muy acorde con el estilo urbano
del figurín.

Deze illustratie, waarin de figuur
vanuit kikkerperspectief met
snelle, zekere viltstiftstreken is
getekend, past heel goed bij de
urban stijl van de figuur.

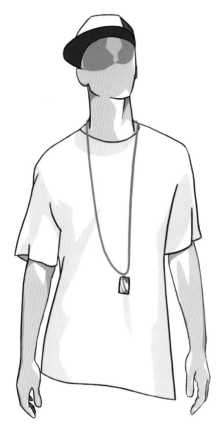

With the computer it is very easy to define exactly the area to be painted. In this case it is useful, creating grey areas on the t-shirt which look like the effect of shadows.

Die Leichtigkeit, mit der sich zu bemalende Bereiche auf dem Computer festlegen lassen, ist hier sehr nützlich, da die grau ausgemalten Bereiche als Schatten verstanden werden sollen.

Con el ordenador es fácil definir exactamente el área que se va a pintar. En este caso, es muy útil para que las zonas coloreadas de gris en la camiseta se entiendan como sombras.

Met een computer kun je exact aangeven welk gebied je wilt inkleuren. In dit geval is dat heel handig, want de grijze delen van het T-shirt komen over als schaduw.

This is a simple illustration, but shadows still have to be included on the white garment – made with parallel diagonal lines – to prevent the result being too child-like.

Um ein zu schwaches Endresultat zu verhindern, wurden die weißen Kleidungsstücke dieser einfachen Illustration mit parallel verlaufenden, horizontalen Linien nachschattiert.

Esta es una ilustración sencilla, pero eso no quita que se añadan sombras a la prenda blanca –hecha con líneas diagonales en paralelo– para evitar que el resultado sea muy pobre.

Dit is een eenvoudige illustratie, maar aan het witte kledingstuk is wel schaduw toegevoegd in de vorm van schuine, parallelle lijnen. Het resultaat zou anders te sober zijn.

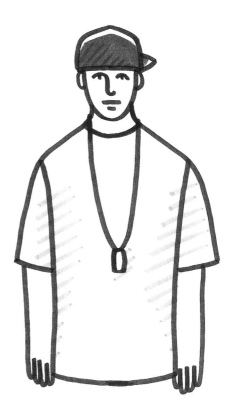

With a realistic style it is important to be exact, so for difficult areas like the hands, "tricks" can be employed, such as folding the hands or half-covering them with the t-shirt.

Eine realistische Darstellung erlaubt keine Ausrutscher, daher werden für komplizierte Körperteile wie die Hände kleine Tricks eingesetzt, hier sind sie gefaltet bzw. halb vom Hemd überdeckt.

El lenguaje realista no permite excusas, por ello en zonas complejas como las manos se pueden hacer trucos, como aquí, que se han dibujado dobladas o cubiertas parcialmente por la camiseta.

Een realistische tekening geeft je weinig vrijheid. Voor ingewikkelder onderdelen als de handen zijn trucs: hier is de ene hand gekromd en gaat de andere half schuil in de kleding.

Leather vest with fringe, and flared pants
Lederjacke mit Fransen und Glockenhose
Chaleco de piel con flecos y pantalón campana
Leren hesje met franje en broek met wijde pijpen

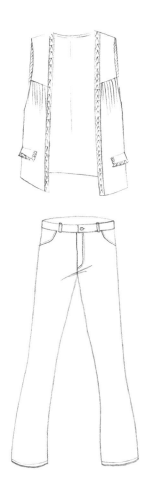

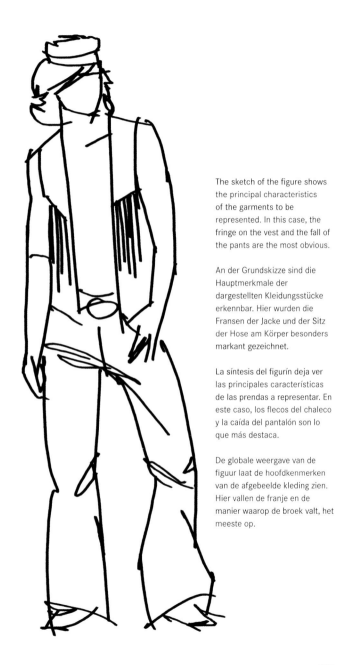

The sketch of the figure shows the principal characteristics of the garments to be represented. In this case, the fringe on the vest and the fall of the pants are the most obvious.

An der Grundskizze sind die Hauptmerkmale der dargestellten Kleidungsstücke erkennbar. Hier wurden die Fransen der Jacke und der Sitz der Hose am Körper besonders markant gezeichnet.

La síntesis del figurín deja ver las principales características de las prendas a representar. En este caso, los flecos del chaleco y la caída del pantalón son lo que más destaca.

De globale weergave van de figuur laat de hoofdkenmerken van de afgebeelde kleding zien. Hier vallen de franje en de manier waarop de broek valt, het meeste op.

A pencil sketch is made of the figure. In this case the pose is important, as the weight is supported on one leg, which affects the line of the shoulders.

Die Figur wird mit Bleistift skizziert. Hier ist die Körperhaltung besonders wichtig, da das Körpergewicht auf einem der beiden Beine ruht, was auch die Schulterlinie beeinflusst.

Se hace un boceto en lápiz del figurín. En este caso la postura es muy importante, ya que el peso recae sobre una pierna, lo que repercute también en la línea de los hombros.

Maak met potlood een schets van de figuur. De houding is heel belangrijk, omdat het gewicht voornamelijk op één been rust, wat gevolgen heeft voor de schouderlijn.

Once the excess lines have been erased, it is important to draw in even the smallest details – such as the geometric pattern on the vest – as this will make it easier to color.

Überschüssige Linien werden beseitigt und alle Details mit größter Genauigkeit eingezeichnet – wie z. B. die geometrischen Figuren der Jacke – dadurch wird das Ausmalen ungemein erleichtert.

Tras borrar el exceso de líneas, es importante dibujar hasta el último de los detalles –como las figuras geométricas en el chaleco–, ya que facilitará mucho el proceso de coloreado.

Nadat je overbodige lijnen hebt weggegomd, teken je alles tot in detail, zoals de geometrische figuren in het hesje. Het latere inkleuren wordt op deze manier veel makkelijker.

Here brushes of different thicknesses have been used, depending on the part to be colored, as large areas do not look good if colored with fine brushes, and vice-versa.

Je nach Breite des auszumalenden Bereichs wurden hier unterschiedlich breite Pinsel verwendet – mit einem schmalen Pinsel erzielt man großflächig kein gutes Ergebnis und umgekehrt.

En esta ilustración se ha trabajado con pinceles de distintos grosores, dependiendo de lo que se va a colorear, ya que las zonas amplias no quedan bien con pinceles finos, y viceversa.

Afhankelijk van de in te kleuren vlakken, is hier met penselen van verschillende dikte gewerkt. Fijne penselen zijn niet geschikt voor grote vlakken, en dikke niet voor kleine.

The felt-tip is the key tool in this last stage. In addition to using one to go over the outline, they have also been used to apply color to the details on the vest.

In diesem letzten Arbeitsschritt ist der Filzstift unabkömmlich: Hier wird er nicht nur zum Nachziehen der Konturen verwendet, sondern auch um Details an der Jacke zu kolorieren.

El rotulador es la herramienta clave en este último paso. Esta vez, además de utilizarlo para repasar los contornos, se usa también para aplicar color a los detalles del chaleco.

Voor de afronding is de viltstift het belangrijkste tekengerei. Hij is hier niet alleen gebruikt voor de contouren, maar ook om de details van het hesje kleur te geven.

An artistic trick is to paint with spots of color. In this case the figure has a lot of detail so the principal lines have been drawn to make it easier to understand.

Das Malen mit Farbflecken ist ein weiteres künstlerisches Mittel. Die Hauptlinien dieser sehr detailreich gestalteten Figur wurden schwarz nachgezogen, um sie klarer zu definieren.

Un recurso artístico es pintar con manchas de color. En este caso la figura presenta muchos detalles, por ello se han dibujado las principales líneas para que se comprendiera mejor.

Je kunt voor het inkleuren her en der een vlekje verf aanbrengen. De figuur bevat veel details. Om de tekening niet al te ingewikkeld te maken, zijn alleen de hoofdlijnen getekend.

When the computer is used the colors produced are completely flat, so to create a three-dimensional figure it is important to include shine and shadows.

Da digital produzierte Farben völlig flach wirken, kommt den Schattierungen und Glanzstellen besondere Wichtigkeit zu, um die Figur dreidimensional erscheinen zu lassen.

Al utilizar el ordenador los colores son absolutamente planos, por lo que si se quiere lograr una figura tridimensional es muy importante tener en cuenta los brillos y sombras.

De met een computer verkregen kleuren zijn volkomen effen. Als je de figuur toch volume wilt geven, is het heel belangrijk dat je schaduwen en glanslichten toevoegt.

One of the characteristics of the naïve style is its simplicity, so minimal colors have been used – only those necessary for the illustration to be interpreted correctly.

Eines der Hauptmerkmale des naiven Stils ist seine Einfachheit, daher wurden hier nur die für eine korrekte Interpretation der Illustration nötigen Farben eingesetzt.

Una de las características del estilo naif es la simplicidad, por ello se han usado el mínimo de colores, sólo los necesarios para que la ilustración se interprete correctamente.

Een kenmerk van de naïeve stijl is eenvoud. Er is daarom een minimum aan kleuren gebruikt; alleen die kleuren die nodig zijn om de illustratie begrijpelijk te maken.

When working solely in pencil, light and shadows are very important as they are basically the only elements that differentiate the textures and garments.

Bei reinen Bleistiftzeichnungen sind Licht- und Schatteneffekte besonders wichtig, da ausschließlich mit diesen beiden Elementen Texturen und Kleidungsstücke differenziert werden müssen.

Cuando se trabaja solamente con el lápiz, son muy importantes las luces y sombras, ya que son básicamente los únicos elementos que ayudan a diferenciar las texturas y prendas.

Als je alleen met potlood werkt, zijn licht en schaduw heel belangrijk, omdat het de enige elementen zijn die het onderscheid aangeven tussen de texturen van de kledingstukken.

Evening suit and bow tie
Abendanzug mit Fliege
Traje de noche con pajarita
Avondkostuum met vlinderdas

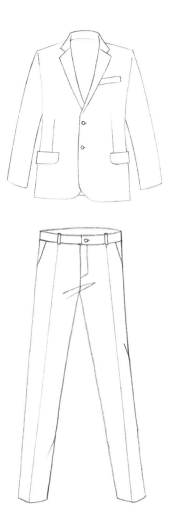

The style of the drawing is simple, so details such as facial features are not necessary. Here the face has been suggested with just one line.

Hier wurde eine synthetische Zeichensprache eingesetzt, die es erlaubt, auf Details zu verzichten. So werden etwa die Gesichtszüge nur mit einer Linie angedeutet.

Se ha utilizado un lenguaje de dibujo sintetizado en el que detalles como los rasgos de la cara son prescindibles, por ello, simplemente se ha insinuado el rostro con una línea.

Bij deze heel globale manier van tekenen zijn details als de gelaatstrekken niet helemaal weggelaten. In feite suggereert slechts één lijn het hele gezicht.

First a sketch is drawn which indicates the figure's pose and the garments, showing that these are not completely tight on the body but have a little volume.

Die erste Skizze illustriert die Pose der Figur und deren Kleidungsstücke, wobei beachtet werden muss, dass diese nicht eng am Körper anliegen, sondern etwas mehr Raum einnehmen.

Se dibuja un primer boceto que indique la postura del figurín y las prendas, teniendo en cuenta que éstas no están totalmente pegadas al cuerpo y ocupan un poco más de volumen.

Maak een eerste schets die de houding en positie van figuur en kleding aangeeft. Houd er rekening mee dat er tussen kleding en lichaam altijd enige ruimte zit.

The lines of the drawing should reflect the characteristics of the clothing, so this outfit has been drawn with lines which are quite straight and firm, showing the weight of the fabric.

Die Zeichnung muss den Faltenwurf des Kleidungsstücks widerspiegeln, daher wurde dieser Anzug mit geraden, markanten Linien skizziert, wodurch das Stoffgewicht veranschaulicht wird.

El trazo del dibujo debe reflejar las características de la vestimenta, por ello, este traje se ha dibujado con líneas bastantes rectas y firmes, que expresan el peso de la tela.

De lijnen van de tekening moeten de eigenschappen van de kleding weergeven. Teken het kostuum daarom met tamelijk rechte, krachtige lijnen, die de zwaarte van de stof laten zien.

The shirt and the suit are white but made from different materials, so shadows have been used to differentiate between the two; the shirt has almost no shading, implying a light fabric.

Der unterschiedliche Stoff des weißen Hemdes und Anzuges wird mit Schatteneffekten illustriert. Die sparsame Schattierung am Hemd macht seinen leichten Stoff erkennbar.

La camisa y el traje son blancos pero de distintas telas, por ello se ha intentado diferenciarlos mediante las sombras; la camisa se ha sombreado apenas, simulando una tela ligera.

Overhemd en pak zijn beide wit, maar zijn van verschillende stof. Geef dit verschil aan met schaduwen. In het overhemd breng je nauwelijks schaduw aan, omdat de stof licht is.

The final step is to go over the lines with a felt-tip and add details not previously included, such as textures or new lines to represent creases.

Zuletzt werden die Linien mit einem Faserstift nachgezogen. Auch Details, wie z. B. Texturen oder Faltenlinien, können in diesem Arbeitsschritt noch neu hinzugefügt werden.

El último paso es repasar las líneas con rotulador. También se pueden agregar algunos detalles que no se habían dibujado anteriormente, como texturas o nuevas líneas de arrugas.

Tot slot trek je de lijnen met viltstift over. Je kunt nog niet eerder getekende details toevoegen zoals extra vouwen, om de textuur van de stof beter weer te geven.

The idea of the sketch is minimalism, so only the top part of the jacket has been drawn; the lapel and the suggestion that it is buttoned up are enough to confirm what the garment is.

Bei einer synthetischen Darstellung werden möglichst wenige Elemente gezeichnet, in diesem Fall nur der obere Teil der Anzugsjacke: Der Aufschlag und der angedeutete Knopf lassen sie erkennen.

Como la idea de la síntesis es utilizar lo mínimo, se ha dibujado sólo la parte superior de la chaqueta; la solapa y la insinuación que se abotona bastan para saber de qué prenda se trata.

Hier is gekozen voor een minimale uitwerking. Alleen het bovenste deel van het jasje is getekend. De revers, en hoe ze vallen, geven al aan om wat voor kledingstuk het gaat.

When representing a white garment with a lot of shine, the trick is plenty of shading. For this silk suit the coloring has been created by the clever use of light and shade.

Für die Glanzstellen eines weißfarbenen Kleidungsstückes werden verstärkt Schattierungen eingesetzt. Dieser Seidenanzug zeigt ein lebendiges Licht- und Schattenspiel.

Para representar una prenda blanca con muchos brillos, se abusa de las sombras. Este figurín muestra un traje de seda que crea un colorido basado en luces y sombras muy marcado.

Een wit kledingstuk waar veel licht op valt, geef je weer met een overvloedig gebruik van schaduw. Dit zijden pak krijgt kleur door grillige plekken van licht en schaduw.

If one has a limited range of colored felt-tips, opt directly for a very simple style which does not require gradations or color effects.

Wenn nur wenige Faserstiftfarben eingesetzt werden, steht diese sehr einfache Darstellungsart zur Verfügung, bei der das Fehlen von Farbeffekten und Abstufungen nicht störend wirkt.

Si se dispone de pocos colores de rotulador, una opción es optar directamente por un estilo de representación sencilla, en el que no se echen en falta degradados o efectos de color.

Als je maar weinig gekleurde stiften hebt, kun je ook voor een eenvoudige weergave kiezen, waarin nuances en kleureffecten niet worden gemist.

The shading on the skin has been done in a darker tone than that on the clothing to emphasize that the suit is completely white. Consequently the skin, however pale, must be darker.

Die Haut wurde in einem dunkleren Ton als der Anzug schattiert, um dessen ausschließlich weiße Farbe hervorzuheben, daher muss die Haut, so hell sie auch sein mag, dunkler wirken.

Las sombras de la piel se han dibujado en un tono más oscuro que las del traje para recalcar que éste es absolutamente blanco, y por ello la piel, por clara que sea, será más oscura.

De schaduwen op de huid zijn iets donkerder gemaakt dan die op het kostuum om de witheid daarvan te benadrukken. Hoe licht de huid ook is, hij is altijd donkerder dan het pak.

Frock coat and tailored pants with top hat
Überrock und Schneiderhose mit Zylinder
Levita y pantalón sastre con sombrero de copa
Jacquet met pantalon en hoge hoed

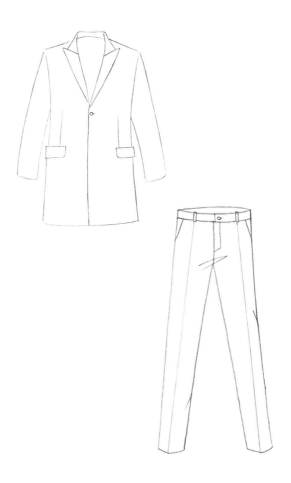

To represent this outfit a slightly
theatrical pose has been
chosen, which is fitting for the
style and gives it strength, but is
not so exaggerated that it takes
away from the garments.

Um dieses Ensemble
darzustellen hat man sich für
eine etwas theatralische Pose
entschieden, die den Stil der
Kleidungsstücke unterstreicht,
diese stehen aber weiterhin im
Mittelpunkt.

Para representar este conjunto
se ha optado por una pose un
poco más teatral, acorde con el
estilo y que da más fuerza, pero
sin llegar a ser tan exagerada
que opaque a las prendas.

Bij deze outfit is gekozen voor
een theatrale houding die past
bij deze stijl en het geheel
krachtiger maakt, zonder zo
overdreven te zijn dat de kleding
op de achtergrond raakt.

The pose is almost frontal, which means several reference lines can be drawn to obtain the correct proportions. That way the figure will look better and be easier to draw.

Die Pose ist nahezu frontal, daher können zur Erzielung der richtigen Proportionen verschiedene Referenzlinien eingezeichnet werden, um den nächsten Zeichenschritt zu erleichtern.

La postura es casi frontal, lo que permite marcar varias líneas de referencia para obtener las proporciones correctas. Así, el figurín quedará mejor y será más fácil de hacer.

De houding is bijna frontaal. Je kunt de verhoudingen kloppend krijgen door enkele referentielijnen aan te geven. Zo zal de figuur beter uitkomen en makkelijker te tekenen zijn.

The figure is drawn following the lines of the sketch. Parts which are difficult to draw, such as hands, can be disguised behind the clothes and so avoid them being badly drawn.

Auf der Grundlage der Grobskizze wird die Figur gezeichnet. Anstatt sich mit schwierig darzustellenden Elementen, wie z. B. den Händen, schwer zu tun, versteckt man sie unter der Kleidung.

Siguiendo el boceto, se dibuja el figurín. Al llegar a partes como las manos, que resultan difíciles de dibujar, se pueden disimular tras la ropa y así evitar que queden mal hechas.

Volg bij het tekenen van de figuur de schets. Moeilijke onderdelen als de handen kun je achter kleding wegmoffelen om te voorkomen dat ze slecht getekend worden.

Shades of black have been chosen to color the garments, which give the figure a more interesting aspect. To this end a touch of strong color has been added at the neck.

Die mit schwarzer Farbe ausgemalten Kleidungsstücke verleihen dem Modell ein interessantes Flair. Aus demselben Grund wurde auch im Halsbereich ein starker Farbakzent gesetzt.

Al colorear la vestimenta se ha optado por la gama del negro, que confiere un aire más interesante al modelo. Por ello también, se agrega un toque de color fuerte en el cuello.

Hier is bij het inkleuren van de kleding voor zwartschakeringen gekozen. Die maken het model interessanter. Om dezelfde reden is in de hals een krachtige kleur toegevoegd.

When painting, spaces are left white to indicate where the light falls. This is emphasized – by the resulting contrast – when a black felt-tip is used to go over the outline.

Manche Stellen werden weiß gelassen um den Lichteinfall zu repräsentieren. Der dadurch entstehende Kontrast wird durch das Nachziehen der Konturen mit schwarzem Faserstift noch verstärkt.

Al pintar se dejan espacios en blanco para indicar las zonas que reciben más luz, lo que, debido al contraste, se intensifica al repasar los contornos con un rotulador negro.

Bij het inkleuren laat je plekken wit om te laten zien dat daar veel licht op valt. Door de contouren over te trekken met een zwarte stift wordt dit effect versterkt.

This illustration technique – with altered proportions – is one of the first methods used by designers to transmit an idea to someone in a few seconds.

Diese Illustrationstechnik mit ihren charakteristisch veränderten Proportionen ist eine der gängigsten Methoden unter Designern, um eine Idee rasch zu vermitteln.

Esta técnica de ilustración –cuyas proporciones se han alterado– es uno de los primeros recursos utilizados por los diseñadores para transmitir una idea a alguien en pocos segundos.

Met deze tekentechniek, waarin vrij met verhoudingen wordt omgegaan, kan een ontwerper in een paar tellen een idee aan iemand overbrengen.

The pose in which the figure has been drawn determines the way the composition has been colored, as the hand and the hat produce shadows over a lot of the body.

Die Pose der Figur war für die Bemalung der gesamten Komposition entscheidend, da die Hand und der Hut einen Schatten auf einen Großteil des Körpers werfen.

La postura en que se ha dibujado el figurín ha determinado la manera en que se ha coloreado la composición, ya que la mano y el sombrero producen sombras en gran parte del cuerpo.

De houding van de getekende figuur is bepalend voor de manier waarop de compositie wordt ingekleurd. De hand en de hoed werpen op een groot deel van het lichaam schaduw.

When illustrating fashion, the most important thing is to represent the garment and show some of its characteristics. The style used here delivers simply the basic information.

Bei Modeillustrationen geht es darum, ein Kleidungsstück und einige seiner Merkmale zu zeigen. Der Illustrationsstil dieser Figur beschränkt sich auf Basisinformationen.

En la ilustración de moda, lo importante es mostrar una prenda y dar a conocer algunas características. El estilo con que se ha hecho este figurín entrega sólo la información básica.

In mode-illustraties gaat het erom een kledingstuk en enkele eigenschappen ervan te laten zien. De manier waarop deze figuur is getekend, brengt slechts de basisinformatie over.

Only pencil has been used for this illustration, so it is easier and more effective to leave areas blank and simply color the shadows.

Es wurde ausschließlich mit Bleistift gearbeitet, daher ist es effektiver und einfacher, die Flächen weiß zu belassen und nur die Schattierungen auszumalen.

Se ha utilizado únicamente el lápiz como herramienta de trabajo, por lo que resulta más sencillo y eficiente dejar las superficies en blanco y solamente colorear las sombras.

Hier is enkel met potlood gewerkt. Daarbij is het eenvoudiger en effectiever om plekken wit te laten en slechts de schaduwen in te kleuren.

Sailing jacket and jeans
Segeljacke und Jeanshose
Abrigo marinero y pantalón tejano
Zeemansjas met spijkerbroek

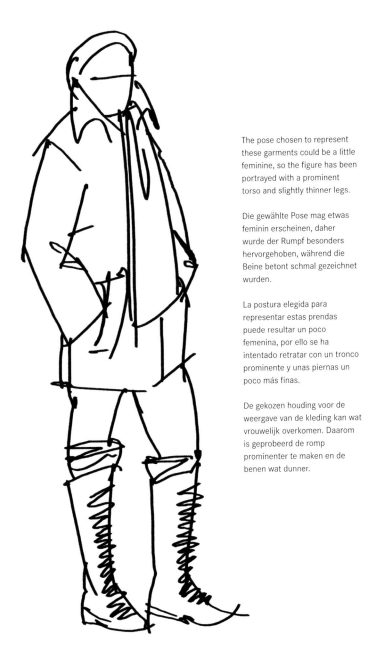

The pose chosen to represent these garments could be a little feminine, so the figure has been portrayed with a prominent torso and slightly thinner legs.

Die gewählte Pose mag etwas feminin erscheinen, daher wurde der Rumpf besonders hervorgehoben, während die Beine betont schmal gezeichnet wurden.

La postura elegida para representar estas prendas puede resultar un poco femenina, por ello se ha intentado retratar con un tronco prominente y unas piernas un poco más finas.

De gekozen houding voor de weergave van de kleding kan wat vrouwelijk overkomen. Daarom is geprobeerd de romp prominenter te maken en de benen wat dunner.

The geometric outlines of the sketch divide the torso into three parts: chest, abdomen and pelvis. As the figure is a man, the abdomen is not curved and the pelvis is almost straight.

Der Rumpf wird in drei geometrische Formen geteilt: Brust, Bauch und Becken. Hier handelt es sich um einen Mann, daher ist der Bauchteil relativ kurz und das Becken beinahe gerade.

La síntesis geométrica de un boceto divide el tronco en tres partes: pecho, abdomen y pelvis. Como aquí se trata de un hombre, el abdomen no se estrecha mucho y la pelvis es casi recta.

De weergave in geometrische vormen verdeelt de romp in drieën: borst, buik en bekken. Omdat het hier een man betreft, is de buik niet te smal gemaakt en is het bekken bijna recht.

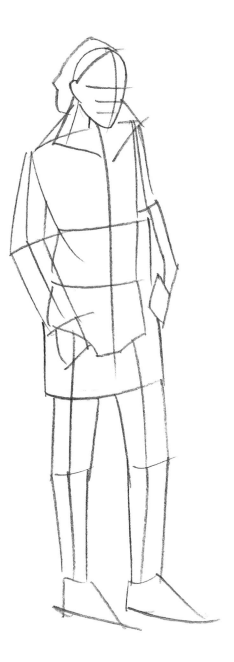

The definitive figure is drawn with a soft pencil. It is important to pay careful attention to the behavior of the fabric in places such as where the trousers meet the boots.

Mit einem weichen Bleistift wird nun die Hauptfigur gezeichnet. Besondere Beachtung muss dem Faltenwurf z. B. an den Stellen geschenkt werden, wo Hose und Stiefel aufeinander treffen.

Con un lápiz blando se dibuja la figura definitiva. Es importante prestar especial atención al comportamiento de la tela en lugares como la unión entre las botas y los pantalones.

Met een zacht potlood teken je de definitieve figuur. Besteed aandacht aan de wijze waarop de stof zich op specifieke plekken gedraagt, zoals de overgang van broek naar laarzen.

Following the pencil outlines,
the illustration is painted with
watercolors. The lightest colors
are applied first, defining from
the beginning the areas of shine
and shadow.

Die Bleistiftzeichnung wird nun
mit Wasserfarben ausgemalt.
Man beginnt mit den sanften
Tönen, wobei Glanzstellen und
Schattierungen von Beginn an
miteinbezogen werden.

Siguiendo el dibujo en lápiz,
se pinta con acuarela toda la
ilustración. Se empieza por los
colores más suaves, definiendo
desde un principio las áreas de
brillos y las de sombras.

Je volgt de potloodtekening en
kleurt de illustratie in met
aquarelverf. Begin met de
lichtste kleuren en geef vanaf
het begin het contrast tussen
lichte plekken en schaduw aan.

Once the whole composition is colored, a felt-tip is used to mark all the lines which help to define the garments better – the boots are a good example of this.

Wenn die Komposition vollständig ausgemalt ist, werden mit Filzstift alle Linien nachgezogen, wodurch die Kleidungsstücke, z.B. die Stiefel, besser definiert werden.

Una vez que se ha coloreado toda la composición, se utiliza un rotulador para marcar todas las líneas, lo que ayudará a definir mejor las prendas. Un ejemplo de ello son las botas.

Als je de compositie hebt ingekleurd, trek je met een viltstift alle lijnen over, zodat de kledingstukken duidelijker uitkomen. De laarzen zijn er een goed voorbeeld van.

The figure has been reduced in an exaggerated way to make it clear that the coat is being represented and the model wearing it is only there as a support for the garment.

Diese Figur wurde völlig deformiert dargestellt, um so die ganze Aufmerksamkeit auf den dargestellten Mantel zu lenken, für den das Modell nur als Stütze dient.

La figura se ha deformado exageradamente con el fin de dejar muy en claro que lo que se quiere enseñar es el abrigo y que el modelo que lo viste es solamente un soporte.

De figuur is overdreven vervormd om duidelijk te maken dat het erom gaat de jas te laten zien, en dat het model slechts een hulpmiddel is.

With a graphic tablet, drawing on the computer is simple and illustrations such as this, where the colored areas have been applied with precision, are easy to create.

Das digitale Zeichenbrett erleichtert die Arbeit mit dem Computer und erlaubt große Präzision bei der Festlegung der zu bemalenden Bereiche, wie im Falle dieser perfekt gestalteten Illustration.

Con la tableta gráfica es muy sencillo dibujar en el ordenador, lo que permite hacer ilustraciones como ésta, donde las áreas se han coloreado con precisión.

Met een tekentablet kun je heel eenvoudig op de computer tekenen. Zo kun je illustraties als deze maken, waarin je precies kunt aangeven welke gebieden je wilt inkleuren.

Simplicity has been carried to
the extreme in this illustration: a
simple, frontal pose done with
basic strokes and the use of flat
colors.

Diese Figur zeichnet sich durch
die Einfachheit ihrer Komposition
aus: sie ist von vorn dargestellt,
mit wenigen Grundlinien grob
proportioniert und mit
Grundfarben ausgemalt.

La simplicidad ha sido llevada a
su máxima expresión en esta
ilustración: una postura frontal
sin mayores proporciones hecha
con trazos básicos y el uso de
colores planos.

In deze illustratie is eenvoud
tot in het uiterste doorgevoerd:
een frontale houding
zonder opvallende
lichaamsverhoudingen die met
basislijnen en effen kleuren is
weergegeven.

This realistic illustration, done in pencil, is directed at the press rather than at the designer, so the facial expression has been emphasized and is reminiscent of a runway model.

Diese realistische Bleistiftillustration wendet sich weniger an den Designer als an die Presse; das besonders ausdrucksstarke Gesicht erinnert an ein Laufstegmodell.

Esta ilustración realista a lápiz está más dirigida a la prensa que al diseñador, por ello se enfatiza mucho la expresión facial, lo que recuerda a un modelo de pasarela.

Deze realistische potloodtekening is meer op de pers dan op de ontwerper gericht. Daarom is de gelaatsuitdrukking, die doet denken aan een model op de catwalk, sterk benadrukt.

Trench-coat and fitted, tailored pants
Trenchcoat und enge Schneiderhose
Trench-coat y pantalón sastre ajustado
Trenchcoat en broek met smalle pijpen

The first sketch has been done with felt-tip as it does not matter if there are an excess of lines: the important thing is to transmit the concept of the figure to be drawn.

Dieser erste Grundentwurf wurde mit Faserstift ausgeführt, da hier überschüssige Linien nicht stören: Es geht darum, in wenigen Sekunden das Grundkonzept zu veranschaulichen.

Este primer esquema se ha hecho con rotulador, ya que no molesta si existe un exceso de líneas: lo importante es plasmar en pocos segundos el concepto de la figura que se mostrará.

Maak een eerste schets met viltstift, waarbij het niet uitmaakt of je wat te veel lijnen zet. Het gaat erom dat je in een paar tellen het concept van de getoonde figuur neerzet.

The pose of the figure is
determined by the effect
the stance has on the rest of the
body. The legs have not been
drawn the same length, to
prevent the figure looking too
static.

Die Pose zeichnet sich durch die
Spannung zwischen den Beinen
und dem Rumpf aus. Die
Beine wurden verschieden lang
gezeichnet, da die Figur sonst
zu statisch wirken würde.

La pose del figurín se ve
determinada por el contrapeso
de las piernas sobre el resto del
cuerpo. Éstas no han sido
dibujadas iguales, para que la
figura no quede demasiada
estática.

Hier wordt de houding bepaald
door het tegenwicht dat de
benen de rest van het lichaam
bieden. De benen zijn
verschillend getekend, anders
was de figuur te statisch
geworden.

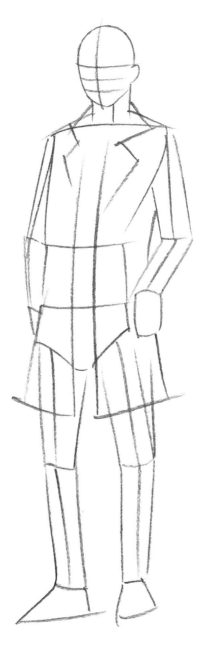

The definitive figure is drawn in, with special care taken to represent the neck of the jersey; to look right, curved lines – never straight ones – have to be drawn around the neck.

Beim endgültigen Entwurf müssen die Linien rund um den Hals kurvig, keinesfalls gerade gezeichnet werden, damit der Rollkragen des Pullis echt wirkt.

Se dibuja el figurín definitivo teniendo especial cuidado al representar el cuello del jersey; para que quede bien, se han de hacer líneas curvas alrededor del cuello, nunca rectas.

Teken de definitieve figuur en let daarbij vooral op de col van de trui. Voor een goede weergave dien je altijd gebogen lijnen te tekenen, nooit rechte.

To create the effect of shadow using black, the whole outfit is first colored with a watercolor wash. Once it is dry, a darker wash is applied to the areas in shadow.

Für Schattierungen mit schwarzer Farbe wird zuerst eine stark verdünnte Schicht aufgetragen und anschließend eine weniger verdünnte an den Stellen, die schattiert erscheinen sollen.

Para lograr el efecto de sombras usando el negro se comienza por colorear todo con una capa aguada de acuarela. Una vez seca, se aplica otra más densa en las zonas a sombrear.

Om met zwart schaduw aan te geven, breng je eerst een hele laag verdunde aquarelverf aan. Als die droog is, breng je minder sterk verdunde verf aan op de schaduwplekken.

The final details can be defined using a fine felt-tip. The texture of the hair has been created by several quick strokes close together on top of the watercolor base.

Mit einem Feinfaserstift werden letzte Details ausgearbeitet. Mit schnellen, eng zusammen liegenden, über der Wasserfarbe aufgetragenen Strichen wird die Textur des Haars simuliert.

Con un rotulador fino se pueden definir los últimos detalles. Para conseguir simular la textura del pelo se han dibujado varios trazos rápidos y muy juntos sobre la base de acuarela.

Met een fijne viltstift teken je de laatste details. Om hoofdhaar te suggereren trek je dicht bij elkaar een paar snelle lijnen over de donkerste aquarelverf heen.

Simple patches of watercolor
and quick strokes with a felt-tip
create this illustration with its
misshapen silhouette. The head
is reduced to give greater
importance to the garments.

Mit wenigen Wasserfarbflecken
und Faserstiftstrichen kann
leicht eine amorphe Silhouette
wie diese geschaffen werden.
Durch ihren stark reduzierten
Kopf werden die Kleidungstücke
betont.

Unas sencillas manchas de
acuarela y trazos rápidos de
rotulador crean esta ilustración
de silueta amorfa, donde la
cabeza queda reducida para dar
importancia a las propias
prendas.

Een paar verfstreken en enkele
snelle lijnen met de viltstift
creëren een illustratie met een
vervormd silhouet. Het hoofd is
verkleind om de kledingstukken
te benadrukken.

This illustration has been created on the computer with the help of a graphic tablet, which produces a clean finish. It also means the combination of colors can be varied.

Mithilfe des digitalen Zeichenbretts wurde direkt am Computer gearbeitet, das Endergebnis ist sehr sauber. Diese Methode bietet auch viel Spielraum für farbliche Kombinationen.

Se ha trabajado directamente en el ordenador con ayuda de la tableta gráfica, que facilita un resultado limpio. De esta manera, se puede también jugar con la combinación de colores.

Met behulp van een tekentablet kun je direct op de computer tekenen. Zo krijg je een net resultaat. Je kunt op de computer ook goed met kleurencombinaties experimenteren.

The figure is drawn in felt-tip and later colored grey, leaving spaces white for the shine. When it is dry the lines which represent shadow are added.

Die Figur wird mit Faserstift gezeichnet und dann grau ausgemalt, für die Glanzstellen werden weiße Stellen gelassen. Sobald die Farbe getrocknet ist, wird mit Strichen schattiert.

Se dibuja la figura con rotulador y luego se colorea todo con gris −dejando espacios en blanco para los brillos−. Cuando se ha secado, se hacen las rayas correspondientes a la sombra.

Teken de figuur met viltstift en kleur dan alles met grijs in, waarbij je de plekken waar licht op valt wit laat. Als de tekening droog is, zet je strepen om schaduw te suggereren.

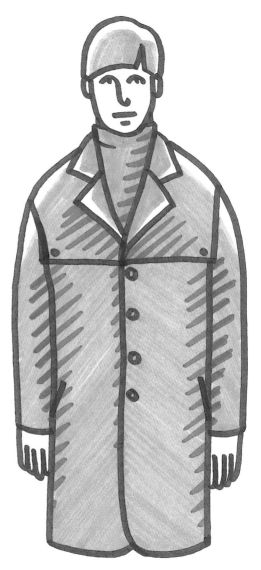

For an illustration with a realistic style to be balanced and believable, it is important to be true to as many aspects as possible, both in the clothing and in the face.

Um eine realistische Illustration echt und ausgeglichen wirken zu lassen, müssen an den Kleidungstücken und im Gesicht möglichst viele Details authentisch nachgebildet werden.

Para que una ilustración de estilo realista se vea equilibrada y creíble se debe intentar ser fiel en la mayor cantidad de aspectos posibles, tanto en la vestimenta como en el rostro.

Voor een evenwichtige, geloofwaardige illustratie in realistische stijl, moet je proberen zoveel mogelijk aspecten van kleding en gezicht zo getrouw mogelijk weer te geven.